Le Cœur au beurre noir

Jeannie et
Anne Marie

HILTON

Le Cœur au beurre noir

LES **I**NTOUCHABLES

Les Éditions des Intouchables bénéficient du soutien financier de la SODEC, du Programme de crédits d'impôt du gouvernement du Québec, du PADIÉ et sont inscrites au Programme de subvention globale du Conseil des Arts du Canada.

LES ÉDITIONS DES INTOUCHABLES
1463, boulevard Saint-Joseph Est
Montréal, Québec
H2J 1M6
Téléphone : (514) 526-0770
Télécopieur : (514) 529-7780
www.lesintouchables.com

DISTRIBUTION : PROLOGUE
1650, boulevard Lionel-Bertrand
Boisbriand, Québec
J7H 1N7
Téléphone : (450) 434-0306
Télécopieur : (450) 434-2627

Impression : Transcontinental
Maquette de la couverture : François Vaillancourt
Infographie : Benoît Desroches

Dépôt légal : 2004
Bibliothèque nationale du Québec
Bibliothèque nationale du Canada

ISBN 2-89549-143-7

PROLOGUE

Biographie de Dave Hilton junior

Dave Hilton junior est né en Ontario, plus précisément à Port Credit, le 9 décembre 1963. Dave Hilton père, Écossais d'origine, champion de boxe, a déjà été considéré comme l'un des trois meilleurs boxeurs du monde dans sa catégorie. Il a eu comme compagnon d'entraînement, notamment, Muhammad Ali. Sa carrière prometteuse a été gâchée par ses frasques commises au cours de beuveries.

En plus de Dave junior, Dave père engendre Alex, Matthew, Stewart, Jimmy et une fille, Johanne, qui sera ostracisée par la famille en raison de son sexe.

Très tôt, Dave père impose à ses fils une discipline militaire et leur enseigne à se servir de leurs poings. Il organise des combats entre eux alors que certains n'ont même pas encore atteint l'âge de fréquenter l'école primaire. Plus tard, Dave père et ses fils vont de ville en ville pour montrer leur suprématie sur des rings de fortune.

La seule vraie stabilité que les frères Hilton connaissent est l'amour de la boxe. Au gré de ses impulsions éthyliques, Dave père fera vivre à ses fils une vie de continuels changements, rarement enrichissants.

Au cours de sa carrière amateur, Dave junior livre cent quatre-vingt-quatre combats. Il n'en perd qu'un.

L'année 1979 marque les débuts de Dave junior chez les professionnels. La rumeur court rapidement qu'il possède un crochet dévastateur. L'avenir semble prometteur pour lui, et son père ne le lâche pas d'une semelle ; il insiste pour demeurer son entraîneur et se montre intransigeant lorsque vient le temps de négocier ses contrats.

Le 4 décembre 1983, dans un Forum de Montréal rempli à craquer, Dave junior affronte le champion canadien Mario Cusson. Le combat est arrêté en raison d'une nulle technique. Le 25 mars 1984, Dave junior obtient une seconde chance. Le tout se termine au premier round, après vingt-deux secondes de combat, à la faveur de Dave junior.

Les liens de la famille Hilton avec Frank Cotroni, l'un des chefs de la mafia montréalaise, sont notoires. C'est Cotroni qui livrera sur un plateau d'argent les frères Hilton (Dave junior, Alex et Matthew) au puissant et malhonnête promoteur de boxe Don King. Selon l'avis de plusieurs, le pacte conclu est inéquitable. Cette opinion se reflétera dans le rapport Bernier publié quelque temps plus tard. Le rapport du juge Raymond Bernier, en 1986, a notamment établi les relations entre Frank Cotroni et le clan Hilton. Les Hilton ont été littéralement vendus à rabais à Don King par Cotroni. L'avocat des Hilton, Frank Shoofey, a voulu informer la justice de cette aberration, mais il a été assassiné quelques heures avant de passer à l'action.

Matthew devient la coqueluche du clan, et Dave ronge son frein. Les séjours de ce dernier en prison commencent en raison de divers actes criminels. En septembre 1986, Stewart, le deuxième plus jeune des frères Hilton, meurt dans un accident d'automobile. Cela semble affecter grandement Dave junior. Il se laissera charmer de plus en plus par l'alcool et la drogue et se battra plus souvent dans les bars que sur le ring. Frustré par le peu d'attention que Don King lui accorde et par les combats sans intérêt qui lui sont offerts, Dave junior claque la porte.

En 1991, Dave junior et Matthew commettent un vol à main armée dans un Dunkin' Donuts, vol qui leur aurait rapporté moins de deux cents dollars s'ils ne s'étaient pas fait appréhender. Puis, quelques mois plus tard, ils se font arrêter en état d'ébriété alors que l'un des deux est au volant. S'ensuit une kyrielle de délits tous plus pathétiques les uns que les autres qui feront faire à Dave junior de nombreux séjours en prison.

En 1998, à trente-cinq ans, Dave junior, maintenant père de quatre enfants (Jeannie, Anne Marie, Dave junior et Jack), décide de reprendre l'entraînement afin d'affronter Stéphane Ouellet qui a battu son frère Alex deux ans auparavant. Le 27 novembre, devant une foule endiablée, Dave junior met Stéphane Ouellet K.-O. au douzième round. Le 28 mai 1999, Stéphane Ouellet tente de prendre sa revanche. Au troisième round, Dave junior l'expédie au plancher : K.-O. Le 8 décembre 2000, un autre combat a lieu. Cette fois-ci, Stéphane Ouellet l'emporte.

Après avoir été reconnu coupable de bris de probation en raison de sa présence dans un débit de boissons, Dave junior sera envoyé en maison de désintoxication.

Contre toute attente, Dave junior obtient finalement un combat de championnat du monde le 15 décembre 2001 contre Dingaan Thobela. Il réussit à lui arracher la ceinture. Il devient le champion du monde des super-moyens du World Boxing Council.

Son règne ne dure pas longtemps. Le World Boxing Council lui retire sa ceinture après qu'il a été reconnu coupable d'agressions sexuelles sur deux sœurs mineures dans un procès extrêmement médiatisé. Il sera condamné à sept ans de prison.

Dave junior maintient toujours qu'il est innocent et qu'il a été victime d'un complot. Il refuse de subir un traitement pour les agresseurs sexuels, même si cela pourrait alléger sa peine.

INTRODUCTION DE JEANNIE

Dave junior, Alex, Matthew, Stewart et Jimmy. Ces cinq prénoms (aussi regroupés sous le surnom des «Famous Fighting Hilton») vous disent-ils quelque chose? Peut-être avez-vous déjà entendu parler (dans les médias sportifs ou autres) de ces gars si fiers de leurs origines écossaises, pour le meilleur (leur talent sur un ring de boxe) et pour le pire (leurs trop nombreuses frasques judiciaires)?

Chacun d'entre eux a fait partie de ma vie parce que c'est dans leur entourage que j'ai été élevée durant mes premières années. Ils étaient mes héros. À tel point que j'ai même déjà désiré, un jour, que des inconnus, en me regardant, se disent: «Wouah, c'est une des Hilton!» Mon père, Dave junior, me répétait sans cesse: «Jeannie, tu dois vite t'impliquer dans quelque chose (par exemple, comme chanteuse, mannequin ou actrice) parce que nous, les Hilton, sommes des amuseurs-nés!»

La pression y était, je me demandais tous les jours quel métier je pourrais exercer qui ferait honneur au nom des Hilton. Le temps passe si vite! Imaginez: à quatre ans, mon père et mes oncles passaient déjà plus de temps dans les gymnases de boxe que dans un parc à s'amuser avec les autres garçons de leur âge. Mon grand-père, Dave père, travaillait déjà d'arrache-pied à faire émerger le talent naturel de ses fils: ils seraient boxeurs ou ils ne seraient pas. C'était dans leurs gènes: Dave père a été boxeur, son père l'a été aussi et le père de son père également. Ils ne pouvaient y échapper, c'était leur destinée. Une condamnation sans appel, en quelque sorte.

Mon père m'a déjà dit que si Stewart faisait partie de notre nom (intégralement, je me nomme Jeannie Ellen Stewart Hilton), c'était en l'honneur de nos ancêtres Stewart, originaires d'Écosse, qui étaient des champions de combat à poings nus connus mondialement. Les Hilton en sont si fiers qu'ils ont continué à imposer ce nom à leurs enfants.

Est-ce que j'ai poursuivi la tradition avec mes deux fils? Non. J'ai pensé, un peu naïvement peut-être, que je devais faire les choses différemment pour que la chance tourne, pour briser une malédiction qui semble toucher les descendants Stewart.

Cette envie de réussir à tout prix a passé. Les années se sont écoulées et les héros de mon enfance ne sont plus ce qu'ils étaient. L'un de ces héros, mon père, a été reconnu coupable d'agressions sexuelles à l'endroit de deux mineures. Ces deux mineures, c'était ma sœur Anne Marie et moi.

Pendant des années, nous avons été abusées psychologiquement et physiquement. Pendant des années, nous avons subi les pires sévices qui soient; nous avons été battues et violées par l'homme le plus important dans la vie des petites filles que nous étions : notre père, Dave Hilton junior.

Chez les Hilton, une des choses les plus précieuses qui soient pour une femme est sa virginité. La jeune fille doit la préserver coûte que coûte, l'offrir uniquement à l'homme qui saura la rendre heureuse et qui sera le géniteur de ses enfants. C'est une question d'honneur et de respect de soi. Dès que nous avons été assez vieilles pour comprendre, nous avons été mises au courant de cette coutume et de son importance. C'était capital : nous ne devions être déflorées que par l'homme de notre vie. C'était le plus beau cadeau que nous pouvions lui offrir, c'était l'offrande ultime : nous prenions un engagement avec lui pour le reste de notre vie, pour le meilleur et pour le pire.

Cette vision romantique de l'amour aurait dû teinter ma vie d'adolescente. Les femmes Hilton, ma mère y compris, en parlaient avec tant de gravité que l'idée de transgresser cette loi fondamentale ne me serait jamais venue à l'esprit. Jamais.

L'objectif excitant de dénicher le prince charmant afin de me donner à lui après des années de fréquentations et d'anticipation aurait dû obséder l'adolescente que j'étais. Chaque jour, j'aurais pu me lever avec la passionnante idée que peut-être, aujourd'hui, un regard échangé avec un inconnu bouleverserait ma vie à tout jamais.

Ce ne fut pas le cas. C'est Dave Hilton junior, mon père, qui m'a fait perdre ma virginité. Même chose pour ma sœur.

En mars 2001, il a été condamné à sept ans de prison à la suite d'un retentissant procès. Encore aujourd'hui, même si cela pourrait réduire sa peine, il refuse d'admettre ce qu'il a fait. Il continue à prétendre qu'il a été victime d'un complot visant à... Visant à quoi, justement? Je ne sais pas. Mon père est un homme profondément malade, vous le constaterez dans les pages qui suivent.

Il a fallu que je traverse des moments pénibles avant d'arriver à trouver une paix intérieure qui me permette de parler avec un relatif sang-froid de ce que j'ai vécu. Les dommages que mon père a causés sont nombreux et la plupart sont permanents. Jamais je ne pourrai ravoir ma virginité. Jamais je ne pourrai effacer de ma mémoire toutes les fois où il m'a torturée et violée. Jamais plus je n'aurai la chance d'avoir une vie d'adolescente «normale», avec son lot de rébellions et d'expériences nouvelles. Il m'a fallu beaucoup de temps pour faire le deuil de tout cela.

Alors que j'avais quinze ans, un peu avant qu'il soit dénoncé à la police, mon père s'est mis à me traiter de «petite», de «grosse» et de «laide», bref, il prétendait que j'avais un corps «typiquement italien» (ma mère est d'origine italienne). Mon père me faisait sentir comme une merde et j'agissais comme si j'en étais une. À quoi bon prendre soin de moi? Je me suis laissée aller.

Quelque temps plus tard, un déclic s'est produit. Je me suis dit que mon père n'arriverait pas à ses fins. Non, il n'arriverait pas à me détruire et à faire de moi sa «chose».

Je me suis prise en main. En plus de commencer à bien m'alimenter, je me suis inscrite dans un club de conditionnement physique. J'y allais très tôt le matin, alors que les abonnés se faisaient rares, parce que j'avais honte de moi. J'y ai passé des heures à sculpter un corps à mon goût, un corps qui n'appartient à personne d'autre qu'à moi.

En premier lieu, il a fallu que je me reconstruise physiquement pour me prouver que mon père avait failli à sa tâche. J'allais gagner et il allait perdre. Il allait constater de visu qu'il n'était pas arrivé à m'anéantir. En cour, ma sœur Anne Marie et moi lui avons fait face et, même s'il a tenté de m'intimider à plusieurs reprises, il n'a pas réussi à m'atteindre. La pression était forte et la nervosité à son comble. Ma sœur et moi avons affronté l'homme qui a fait de nous ses esclaves, la personne qu'on craignait même plus que tous les monstres qui peuplaient nos cauchemars.

Nous avons gagné. Ensemble, nous l'avons mis K.-O.

Avant aujourd'hui, je n'étais pas prête à écrire ce livre. L'idée a germé en moi il y a longtemps, mais je n'en avais pas la force. Je me suis mise à croire en moi et à chercher ce que je voulais être vraiment. J'ai beaucoup exploré jusqu'à ce que je donne des cours de conditionnement physique. Ces derniers m'ont permis de trouver ma voie : je veux aider mes semblables, j'aime savoir que j'ai été un élément déclencheur, aussi petit soit-il, dans l'accession des autres au bien-être. J'ai beaucoup à donner et faire fi de ce fait serait du gaspillage. J'ai beaucoup à dire ; les expériences traumatisantes de mon existence m'ont enseigné que le talent, tel qu'on m'en avait donné l'exemple, ne se situe pas nécessairement dans un crochet du droit dévastateur ou un jeu de jambes impeccable, non, le talent, mon talent, est de venir en aide aux autres. Je suis ambitieuse et l'un des premiers pas que je fais est d'écrire ce livre avec ma sœur.

J'aurais pu sombrer dans l'enfer de la drogue et de l'alcool comme mon père, j'aurais pu devenir délinquante ou simplement paresseuse et passer ma vie devant la télévision à manger des cochonneries. Je n'aurais eu qu'à justifier le tout par ma jeunesse misérable. Ç'aurait été facile de devenir n'importe qui. Trop facile pour une Hilton.

Lorsque mon père m'a dit que les descendants Stewart étaient des amuseurs-nés, jamais il n'aurait cru qu'un jour il en subirait les conséquences !

Ce livre n'est ni une vendetta ni un règlement de compte. Anne Marie et moi désirons que ce que vous tenez sous vos yeux soit une lumière au bout du tunnel pour les filles et les garçons qui subissent des sévices jour après jour et qui, terrorisés, n'osent pas parler pour faire changer les choses. Si nous avons pu le faire, n'importe qui peut le faire.

Ce témoignage n'est pas écrit par «les filles de Dave Hilton junior», mais bien par Anne Marie et Jeannie Hilton. La nuance est importante et ma sœur et moi tenons à la faire. Mon père est un homme connu et charismatique qui fait partie, je peux l'affirmer sans me tromper, des boxeurs les plus talentueux que le Canada ait comptés dans ses rangs.

À trente-six ans, il est devenu champion du monde de la catégorie des super-moyens du World Boxing Council. À mon avis, s'il n'avait pas eu tant de problèmes de drogue, d'alcool et de délinquance, il aurait été l'un des plus redoutables batailleurs de l'histoire de la boxe, rien de moins.

Quelques mois avant sa victoire contre Dingaan Thobela qui l'a mené dans les plus hautes sphères de la boxe, ses combats contre Stéphane Ouellet ont soulevé les passions. Certains détestaient mon père, d'autres ne juraient que par lui; une chose est sûre: il ne laissait personne indifférent. Dave Hilton junior le boxeur et Dave Hilton junior le père sont deux personnes différentes. Chacune de ses victoires m'ont ravie, elles ont été l'aboutissement d'une longue suite de sacrifices et d'efforts.

Les exploits sportifs de mon père ont été racontés en long et en large par tous les médias. Il est de notoriété publique que mon père a eu de nombreux démêlés avec la justice et qu'il a souvent entrepris des cures de désintoxication. Toute sa vie d'adulte, il a eu maille à partir avec sa dépendance à l'alcool. Derrière ces faits, qui peuvent paraître anecdotiques pour certains, se cache l'histoire d'un homme violent, dépravé et insensible.

Ici, il ne sera pas question de sa carrière, mais bien du comportement qu'il avait avec ses deux filles, Anne Marie et moi, et quelques membres de son entourage immédiat. Encore aujourd'hui, certains journalistes vont l'interviewer en prison et il affirme, sans que son sourire de loup affamé s'estompe le moindrement, qu'il est innocent et victime d'une conspiration. Ce n'est pas le cas et ce livre le prouve.

Certaines personnes seraient peut-être portées à lui accorder le bénéfice du doute. Après tout, ce ne serait pas la première fois qu'une erreur judiciaire serait commise. Durant le procès, certains fans ont demandé des autographes à mon père et se sont fait photographier avec lui. Savaient-ils qu'ils avaient à leurs côtés un agresseur sexuel d'enfants?

Avec ce livre, nous espérons, Anne Marie et moi, dissiper tout doute possible: mon père mérite amplement la peine de prison que la juge Rollande Matte lui a imposée.

Nous allons raconter notre enfance et notre adolescence et les événements qui ont mené à son procès. Nous allons aussi parler de la famille de ma mère, les Gatti, et de celle de mon père, les Hilton. Plusieurs informations contenues dans ce livre n'ont jamais été révélées publiquement. Il s'agit pour la plupart de secrets de famille qui permettent de mieux comprendre, notamment, pourquoi les pires ennemis des Hilton sont les Hilton eux-mêmes.

Il y a beaucoup de douleur et de chagrin dans notre histoire. Mais toute cette souffrance n'aura pas été vaine; au bout du compte, notre histoire se termine relativement bien, car nous avons survécu aux pires sévices qu'un père peut infliger à ses filles. Nous sommes vivantes. Et parce que notre bourreau est en prison, tout est permis, y compris révéler qui est, véritablement, Dave Hilton junior.

Notre famille

LES GATTI SELON…

Anne Marie

Ma mère s'appelle Anna Maria Gatti. Elle est née en Italie, à Naples, le 5 août 1963. Ses parents ont immigré au Québec en 1964.

Deux des frères de ma mère sont des boxeurs de réputation internationale : Joe et Arturo Gatti. Quand on connaît les Hilton et leur jalousie à propos de tout et de rien, on peut supposer que c'est la raison pour laquelle elle a été rejetée dès le départ par les Hilton : Italienne et sœur de deux boxeurs talentueux.

Quand mon père était en présence de mon grand-père Giovanni, le père de ma mère, il était très poli et se tenait tranquille. Il était toujours bien peigné et ses vêtements étaient soignés. Un peu avant sa mort, mon grand-père a dit à ma mère qu'il regrettait qu'elle se soit mariée avec Dave.

C'était un beau garçon, il le reconnaissait, mais avec lui comme mari, elle allait avoir faim et elle allait vivre dans la pauvreté. Il n'avait pas tort.

Jeannie

Giovanni Gatti, le père de ma mère, est venu s'établir au Canada avec sa famille afin de commencer une nouvelle vie en 1964.

Il était loin d'être paresseux. Militaire ambitieux qui ne s'en laissait pas imposer, il n'avait pas froid aux yeux et il travaillait fort.

Il était alcoolique et il imposait sa loi dans la maison. Il avait des attentes élevées à l'endroit de sa femme et de ses enfants. Ses règles étaient strictes et claires, et celui ou celle qui les transgressait devait en subir les conséquences. Il pouvait se montrer très violent.

Il considérait le Québec comme un endroit libéral, trop libéral à son goût. Beaucoup des us et coutumes des Québécois lui faisaient dresser les cheveux sur la tête. Jamais il n'a cédé aux appels de la modernité. Il a décidé d'élever ses enfants en se basant sur ce qu'il considérait comme un modèle italien, c'est-à-dire moralité et droiture. Il a voulu transmettre à ses enfants, en premier lieu, la fierté d'être Italien.

J'ai de bons souvenirs de lui. Quand il buvait, il était toujours de bonne humeur ; l'odeur d'alcool qu'il dégageait ne me dérangeait aucunement parce que c'était son odeur, un peu épicée et âcre. Il a toujours été très gentil avec moi.

Il avait appris le métier d'électricien et possédait sa propre compagnie. Même s'il est décédé alors que je n'avais que cinq ans, je me rappelle qu'il avait un torse tout plein de poils, ce qui m'impressionnait grandement, puisqu'il était le seul de la famille à être poilu à ce point.

C'était un petit homme qui portait toujours, il me semble, même s'il faisait chaud, un pantalon et un tricot. Il dissimulait sa calvitie avec les cheveux de côté qu'il ramenait sur le dessus de sa tête, comme René Lévesque.

Une fois, je m'étais coloré la bouche au crayon feutre pour imiter le rouge à lèvres. Dès qu'il m'a vue, il m'a demandé de nettoyer immédiatement mon visage, disant que j'étais trop jeune pour ça.

Il a eu six enfants, ma mère étant l'aînée. Il les a tous battus.

Sa femme, Ida, était belle et fière, mais elle était malheureuse et se plaignait constamment de tout et de rien. Elle était stressée et n'appréciait pas ma compagnie. C'était comme si je n'existais pas. Elle était toujours occupée dans la maison à passer l'aspirateur, épousseter ou cuisiner. Elle accomplissait son rôle de mère italienne typique à merveille.

Deux ou trois fois, je me rappelle vaguement avoir vu Giovanni frapper sa femme. C'étaient des gifles. Elle n'en faisait pas de cas, les agressions de son mari faisant partie de la vie.

Après quelques mois de cohabitation avec son mari, ma mère est allée voir son père pour se plaindre du fait qu'elle se faisait battre. Grand-père Giovanni, loin de prendre sa défense, a déclaré que c'était sûrement parce qu'elle le méritait.

Grand-mère Ida a raconté à ma mère comment s'était déroulée la première fois où elle avait rencontré la mère de son mari. Grosso modo, cette dernière lui avait dit : « Si tu aimes son apparence, il faut que tu apprennes à vivre avec tout ce qui va avec. Si tu aimes mon fils, tu dois accepter qu'il boive, qu'il aime les femmes et qu'il soit agressif. » Ma grand-mère avait alors confié à ma mère : « Stupidement, je lui ai dit que j'aimais son fils et que j'allais l'accepter tel qu'il était. Depuis ce temps, je regrette d'avoir agi comme une imbécile. Son avertissement, je le comprends maintenant. J'ai fait une erreur et j'en assume les conséquences toutes les secondes de ma misérable vie. »

Le divorce n'était pas une solution pour les gens de sa génération. Ils préféraient, et de loin, endurer. Sinon c'était la stigmatisation pour le reste de leurs jours.

Nul doute que la mort de Giovanni a été une délivrance pour Ida. Peu après son décès, Ida s'est remariée et a refait sa vie avec un autre Italien. Nous avons perdu contact avec elle. Lorsque je demandais à voir ma grand-mère Ida, mon père me demandait : « Est-ce que tu aimes ta grand-mère Ida ? » Je répondais : « Oui. » Puis il rétorquait : « Est-ce tu la préfères à ma mère ? » J'étais confuse, je ne savais pas quoi dire.

J'avais peur d'aimer les Gatti parce que mon père n'arrêtait pas de médire d'eux.

Voici un court portrait de mes oncles et tantes Gatti.

Fabrizio Gatti, le plus jeune des Gatti, a cinq ans de plus que moi. Lorsque nous étions jeunes, nous nous querellions constamment.

C'était la même chose avec Arturo, qui est plus vieux que moi d'environ dix ans. C'était le chouchou de la famille. Il mène une brillante carrière de boxeur.

Giuseppe, ou « Joe », gagne aussi sa croûte en boxant.

Mon père l'a fréquenté quelque temps. Quand ils sortaient ensemble, Joe s'habillait comme mon père, mangeait comme mon père et parlait comme mon père. Ils étaient comme des frères mais, un jour, cette belle relation a pris fin. Mon père reprochait à Joe d'avoir répandu des rumeurs à son sujet et d'avoir utilisé ses contacts pour faire avancer sa carrière. Il a commencé à tenir des propos racistes envers les Italiens, les accusant d'être des hypocrites et de l'avoir trahi. Ma mère aussi faisait partie du lot.

Josefina s'est mariée à dix-huit ans avec un homme de dix ans son aîné. Elle est allée vivre avec lui en Italie, puis est revenue à Montréal après des années de violence conjugale. Elle est divorcée et a trois enfants. Elle est retournée à l'école et tente de refaire sa vie. J'espère qu'elle va s'en sortir. Je le lui souhaite.

Mirella est une tante vraiment formidable. Dès mon plus jeune âge, elle me disait : «Un jour, Jeannie, tu vas avoir tes règles et tu vas devenir une femme.» Mon père réagissait toujours fortement et lui rappelait que j'étais encore trop jeune pour entendre parler de ces choses-là. Avec Mirella, j'ai toujours eu du plaisir. Nous avons passé des après-midi entiers à magasiner. Elle est très amusante et étonnamment ouverte d'esprit malgré l'éducation qu'elle a reçue. Elle est la tante parfaite.

À cinq ans, je parlais gaélique, italien, français — je me souviens d'avoir écouté *Passe-Partout* — et anglais. Mais mon père m'a tenue à l'écart des Gatti parce qu'il ne voulait pas que je parle italien, il craignait que j'aie un accent. Un jour, alors que nous étions chez mes grands-parents, je me suis exclamée : «*Mamma mia!*» Tout le monde m'a regardée, mal à l'aise. J'avais peut-être cinq ans, mais je me souviens parfaitement de ce jour-là. Mon père a eu honte de moi et il a gueulé. Il a dès lors refusé que nous ayons des contacts avec la famille de ma mère.

LES HILTON SELON...

Anne Marie

Mon père est né à Port Credit, en Ontario, le 9 décembre 1963. Son père lui a donné son prénom, Dave. Sa mère se nomme Jean McMillan-Mills. Les deux parents de mon père sont nés au Canada et ont des racines écossaises.

Pendant sa carrière de boxeur, mon grand-père était rarement à jeun. Il consommait d'énormes quantités d'alcool puis, saoul, se battait pour des sommes ridicules. Ces sommes, il les utilisait pour s'acheter encore plus d'alcool. Il était plus pauvre que pauvre. Sa vie était misérable et il a voulu corriger ses erreurs de jeunesse en entraînant ses garçons à devenir boxeurs.

Grand-père Dave ne doutait jamais de lui. Il avait des solutions à tous les problèmes et donnait l'impression de n'avoir aucune faiblesse. J'ai vécu avec lui et mes oncles quelques années, et toute la maisonnée le redoutait.

Grand-père Dave pouvait se montrer très cruel à l'occasion. Il n'aimait pas ma mère parce qu'elle était Italienne. Et quand elle allait manger chez les Hilton, il y avait des napperons autour de la table pour tous les membres de la famille, sauf pour elle, même si elle avait été invitée. Grand-mère et grand-père la méprisaient.

Beaucoup des malheurs des Hilton proviennent de mon grand-père et de sa possessivité. Il s'est grisé de son pouvoir de domination pendant des années et il a tout écrasé sur son

25

passage. Voilà pourquoi mes oncles sont en mille miettes. Ils se sont fait briser à force de se faire taper dessus.

Je soupçonne grand-père Dave d'avoir habillé ses fils en filles pour les humilier. C'était son genre.

Grand-mère Jean n'a plus une dent dans la bouche ; il l'a battue régulièrement pendant des années. Pour mon grand-père, il n'y avait rien d'inhabituel à corriger sa femme. Personne ne parlait de son comportement, c'était comme si c'était acceptable, comme si c'était aussi normal que de donner des câlins.

Il n'était pas méchant avec nous, ses petits-enfants. Il ne nous a jamais touchés. Il était très gentil et plein d'attentions.

Parlons maintenant de mon père. Premièrement, il ne voulait pas devenir boxeur. Sa véritable passion était le hockey, il en rêvait la nuit. Adolescent, après l'école, il allait jouer avec quelques-uns de ses camarades. Lorsqu'il revenait à la maison, même s'il était crevé, mon grand-père l'obligeait à s'entraîner des heures et des heures. Mon père n'avait pas le choix. S'il résistait, mon grand-père le battait. Il était dur avec lui. C'était boxeur que mon père allait devenir, pas hockeyeur. C'est ce que mon grand-père avait décidé et personne n'allait le faire changer d'idée. Il a été tout aussi sévère avec ses autres garçons.

À quatre heures du matin, il faisait courir ses gars alors qu'il les suivait en automobile. Beau temps, mauvais temps, rien n'allait changer la routine. Chaque minute des journées de mon père et de mes oncles était organisée en fonction de la boxe. Une discipline d'armée leur était imposée. Si un des garçons dérogeait aux règles, grand-père le corrigeait avec ses poings pour lui faire regretter sa désobéissance. Il était sans pitié.

Grand-père ne voulait pas que ses fils aient de petites amies parce qu'elles allaient les distraire. Avant dix-sept ans, il n'était pas question qu'un de ses fils déclare officiellement être en relation avec une fille. De plus, il n'aimait pas l'idée qu'une fille perce le cercle fermé des Hilton. Grand-père prenait cinquante pour cent du salaire que ses fils récoltaient en boxant, et il avait peur que la venue d'une femme vienne remettre en question cette entente qui n'avait jamais été officialisée sous forme de contrat. Tout ce qui était extérieur à la famille Hilton représentait une menace.

Jean, sa femme, m'a toujours donné l'impression qu'elle n'était là que pour s'assurer que les gars ne manquaient de rien côté confort.

Tout le monde l'aimait, mais elle pouvait se montrer très désagréable, notamment envers ma mère. Il n'y avait pas de place pour deux femmes chez les Hilton. Son rôle de servante officielle des Hilton, elle en était fière et était prête à se battre pour le préserver.

Lorsque ma mère et ma grand-mère Jean étaient réunies dans la même pièce, elles se disputaient toujours. Personne ne s'en mêlait. Même s'il était évident que ma grand-mère mentait pour mettre ma mère dans l'embarras, jamais mon père n'a pris la défense de sa femme. Jamais. Ce n'était pas parce qu'il croyait qu'elle pouvait se défendre seule, non, c'était parce qu'il pensait qu'elle ne méritait pas d'être aidée : c'était une femme. Une Italienne de surcroît.

Lorsque ma mère achetait de la nourriture, mon père ne la mangeait pas parce qu'elle n'avait pas été préparée par sa mère. Il disait que ce n'était pas le genre de mets qu'il aimait, que c'était trop italien. Grand-mère Jean était une excellente cuisinière et mon père ne voulait manger que ce qu'elle préparait et rien d'autre. Durant la période où nous avons habité tous ensemble à Rigaud, jamais mon père n'a laissé la chance à ma mère de faire ses preuves. Grand-mère Hilton était la seule femme de la maison.

Je garde de très bons souvenirs de mes oncles. Ils étaient tous très gentils avec moi. Ce qui leur arrive aujourd'hui est très triste. Ils ne méritent pas ce sort, mais le destin a été plus fort qu'eux, comme s'ils avaient été programmés pour s'autodétruire à petit feu.

Mon grand-père les a élevés comme des chiens. Quand quelque chose n'allait pas, il ne prenait pas de gants blancs pour le leur faire savoir, c'était toujours avec ses poings. Un homme « normal » qui bat ses enfants, c'est dangereux. Imaginez un homme qui a gagné sa vie avec ses poings !

Pour ma part, je peux très bien comprendre cette situation parce que, des coups, mon père m'en a donné suffisamment pour réaliser sa force de frappe. Lorsque ses poings m'atteignaient, c'était comme si ses mains étaient des briques.

L'éducation que mon grand-père a donnée à mon père et à mes oncles n'a rien donné de bon. Alex, Matthew et mon père ont été de grands boxeurs, mais à quel prix ? Ils n'ont jamais appris à gérer leurs frustrations autrement que par la violence.

Il était évident que mes grands-parents avaient leurs préférences. Grand-mère Jean aimait mieux Alex tandis que le favori de grand-père Dave était mon père. Ça créait beaucoup de tensions dans les repas de famille lorsque ça discutait de boxe.

L'un des événements les plus tragiques pour des parents est probablement la mort d'un enfant, et mes grands-parents Hilton ont connu cela. Après être allé chercher sa copine à l'école secondaire, Stewart s'est dépêché de rentrer à la maison avant le retour de son père. Il ne voulait pas lui faire face car, depuis quelques semaines, les relations étaient tendues. Ne voulant pas mettre de l'huile sur le feu, il a roulé vite, si vite qu'il a dérapé avec le résultat qu'on connaît.

Je me suis toujours demandé ce qui se serait passé si grand-mère Jean n'avait accouché que de filles. Auraient-elles connu le même sort que Johanne, l'aînée d'une famille dont elle n'a jamais vraiment fait partie ?

Tante Johanne a été exclue de la famille Hilton parce qu'elle était une fille. C'est mon arrière-grand-mère Mary (la mère de grand-père Dave) qui l'a élevée. D'ailleurs, Johanne l'appelait *mommy*.

Pendant son adolescence, Johanne a eu des problèmes d'anorexie. Tout comme Jimmy, elle avait hérité de la forte constitution de sa mère. Les similitudes physiques étaient nombreuses et ne s'arrêtaient pas à la grosseur des os. Elle ne voulait pas ressembler à sa mère. C'en est devenu une obsession.

Lorsqu'elle a appris ce que notre père nous avait fait, tante Johanne en a été terriblement désolée. Elle nous a dit qu'elle avait toujours senti que mon père n'était pas comme les autres.

Il y avait «quelque chose» dans son comportement qui lui échappait. Ce «quelque chose», elle ne savait pas trop ce que c'était, mais ça lui faisait peur.

Quoi qu'il en soit, jamais elle n'aurait pu imaginer le calvaire que mon père nous a fait subir, à ma sœur et à moi. Un être humain normalement constitué ne peut pas concevoir l'inconcevable.

Jeannie

Le père de mon père vient d'Edmonton.

Mon arrière-grand-père aussi se prénommait Dave et, surprise! il était également boxeur. Il est né en Écosse.

C'était une personne silencieuse, mais lorsqu'il prenait la parole, tout le monde l'écoutait, son accent écossais étant une véritable musique à nos oreilles. Je l'appréciais beaucoup, même s'il était un gros buveur et battait sa femme. Il paraît qu'un jour, il lui a brisé le nez d'un coup de poing. Pour se venger, elle s'est emparée d'un revolver et lui a tiré une balle dans une jambe. Belle famille!

Revenons à mon grand-père. C'était un boxeur extrêmement talentueux qui a eu le privilège de s'entraîner avec Mohammad Ali et plusieurs autres boxeurs au talent certain comme Jimmy Ellis (qui s'est battu quatre fois contre Ali). Quand j'étais enfant, j'aimais entendre grand-père Dave évoquer le «bon vieux temps». Il n'hésitait jamais à en parler et il n'était pas avare de détails. C'était fascinant.

Il racontait que, parfois, c'était dans des batailles de rue qu'il arrivait à amasser un peu d'argent. Il se battait contre n'importe qui, à condition qu'il y ait de l'argent en jeu. Cet argent, il l'utilisait pour se procurer de l'alcool.

Je n'ai jamais vu mon grand-père boire parce qu'il a décidé de devenir sobre après avoir fait une crise cardiaque au début des années 1980, si je ne m'abuse.

J'ai vécu avec lui et toute la famille Hilton quelques années à Rigaud, dans une immense maison. C'était un homme sérieux qui, à l'occasion, regardait par la fenêtre avec un air déprimé. Il était le roi de la maison et tous devaient lui obéir.

Chez lui, tout n'était que boxe. Lorsqu'il regardait la télévision, c'était de la boxe. Quand il parlait, c'était de boxe. Quand il pensait, je suis sûre que c'était à la boxe.

Il y avait une chambre fermée à clef dans la maison, une pièce où personne n'avait le droit d'entrer: elle était réservée à des objets de boxe. C'était, pour lui, une sorte de temple. Sa vie, c'était la boxe.

Je pense qu'il traitait ses fils comme des «objets de boxe». Ils n'étaient là que pour assouvir sa passion.

C'était aussi un homme froid, difficile d'approche. À l'occasion, il savait se montrer amusant et racontait des blagues, mais ces moments ne duraient pas. Je me rappelle que quand j'avais cinq ou six ans, il chantait des chansons cochonnes et que cela me faisait rire aux larmes. Dès que le sujet de la boxe revenait sur le tapis, son sourire disparaissait et il reprenait son air grave.

J'aurais tout fait pour me rapprocher de lui et passer du temps à ses côtés. Lorsque nous regardions la télévision et qu'il riait, je riais en même temps que lui, même si le sens de la blague m'échappait complètement. Pour attirer son attention, je lui posais des questions au sujet de la boxe. Quelquefois, les réponses aux questions étaient évidentes, mais il prenait toujours le temps de me répondre. Quand il parlait d'un boxeur, souvent, il l'avait connu personnellement et il agrémentait ses commentaires d'anecdotes personnelles.

Un grand ami de mon grand-père, Jimmy Ellis, nous visitait régulièrement à Rigaud. Il portait toujours des vêtements des années 1970 et des verres fumés. Quand on lui demandait pourquoi il ne s'en départait jamais, il répondait que c'était parce que ça faisait cool.

Alors que nous étions assis l'un à côté de l'autre dans l'automobile familiale sur la banquette arrière, je lui ai fait remarquer: «Je ne sais pas pourquoi on dit que tu es un Noir; en fait, tu es brun!» Mon grand-père a fait les yeux ronds et il s'est exclamé: «Jeannie! On ne dit pas ça!» Jimmy Ellis a tapoté l'épaule de mon grand-père et il a dit : « La petite a raison, je ne suis pas Noir, je suis décoloré. » Il était aimable.

J'étais persuadée que mon grand-père connaissait tout, qu'il avait toujours raison et qu'il était la personne la plus intelligente que la terre ait jamais portée.

Pour une raison que j'ignore, il savait toujours ce que nous faisions, comme s'il avait un sixième sens. Un jour, je suis entrée dans la maison et il était assis dans le salon, devant la télévision. Alors que je passais derrière lui, il m'a demandé : « Qu'est-ce que tu faisais dans les buissons du jardin ? » Je lui ai répondu que je n'y étais pas. « Si, tu y étais, je t'ai vue. » Mais comment avait-il fait ? Aucune des fenêtres de la maison ne donnait sur les buissons du jardin ! Même s'il ne m'a jamais battue, je le craignais.

Petite fille, il m'arrivait de tomber et de m'érafler les jambes. « Qu'est-ce qui s'est passé avec tes jambes ? me demandait-il. Tu devrais y faire attention, avoir de belles jambes est important, tu comprends ? »

C'est lui le premier qui m'a montré, notamment, comment une fille devait s'asseoir à table.

Si nous avions une coupure, c'est grand-père Dave que nous allions voir. C'était le médecin de la maison. Il était un *cutman* hors pair. Il pouvait arrêter le saignement de n'importe quelle plaie et, souvent, elle ne laissait aucune cicatrice. Il avait des mains magiques.

À l'époque où grand-père Dave avait de l'argent (il gardait cinquante pour cent des revenus de ses fils), mon père m'avait amenée magasiner avec ma mère. C'était une occasion toute particulière parce que l'argent était rare.

En revenant à la maison, toute fière des nouveaux vêtements que mon père venait de m'acheter, je suis allée les montrer à mes grands-parents. Lorsque mon père est entré dans la pièce, grand-père l'a regardé sévèrement et lui a demandé pourquoi il ne les amenait pas magasiner, sa femme et lui. Mon père, bouche bée, n'a pas su quoi répondre. Il leur a donc payé une virée au centre d'achats à eux aussi. Il n'a jamais osé demander à son père pourquoi il n'amenait pas lui-même sa femme magasiner, puisqu'il avait de l'argent, lui aussi. Les commentaires de mon grand-père n'étaient jamais une invitation à la discussion. Il fallait agir pour le satisfaire.

Même avec la force de frappe que mon père avait une fois adulte, jamais il n'a osé défier son père. Il aurait pu le battre, mais à quel prix? Dave père était un intouchable.

Mon père a déjà reçu des coups de téléphone de son père en plein milieu de la nuit. Mon grand-père voulait l'entendre dire qu'il l'aimait plus que ma mère. «Mais, papa, je suis marié avec elle, ce n'est pas la même chose», lui disait mon père. Alors, Dave père s'emportait et ordonnait que son fils lui dise ce qu'il voulait entendre. Mon père soulevait les épaules et disait: «Oui, papa, tu as raison, je t'aime plus qu'Anna Maria.» En raccrochant, à la vue du visage effaré de ma mère qui avait entendu toute la conversation, mon père lui disait: «On s'en fout, si ça peut lui faire plaisir.»

Il m'est arrivé de voir mon grand-père se comporter de façon violente. J'avais sept ans et mes grands-parents avaient une vive discussion. Je suis sortie de la pièce et j'y suis revenue lorsque j'ai entendu des cris. Dans la chambre des maîtres, mon grand-père se tenait au-dessus de ma grand-mère; de sa main gauche, il lui maintenait le cou et, de sa main droite, il lui flanquait des claques. Ses mains étaient gigantesques et puissantes. Je les avais déjà vus se tirailler, ces deux-là, mais jamais se battre de la sorte. C'était brutal.

Un autre jour, je ne me rappelle plus exactement ce que Jimmy, le plus jeune des fils Hilton, avait fait (il avait menti, je crois), mais grand-père lui a demandé de venir le rejoindre. Jimmy a dévalé les escaliers et il s'est retrouvé devant son père. Ce dernier lui a asséné des dizaines de coups de poing sans même lui donner d'explications. Même si Jimmy était plié en deux, se protégeant la tête du mieux qu'il pouvait, grand-père continuait à le marteler. Et les dizaines de coups sont devenus des centaines. C'était surréaliste à quel point grand-père Dave pouvait être brutal. Cet homme qui battait Jimmy pouvait-il vraiment être mon grand-père? Il s'est arrêté quand Jimmy a été étendu par terre, K.-O.

C'était la boxe, rien que la boxe, juste la boxe. Il n'y avait rien d'autre dans la vie des Hilton. Mon père et mes oncles ont enfilé des gants pour la première fois alors qu'ils n'avaient que quatre ou cinq ans. Grand-père Dave était l'entraîneur des garçons, il avait son propre gymnase, tout était organisé en fonction de son idée fixe: faire de sa progéniture mâle des champions.

Mon père et mes oncles n'ont pas eu d'enfance ni d'adolescence. S'ils avaient le malheur d'aller jouer avec leurs amis ou de consacrer leur temps à autre chose que la boxe, grand-père le leur faisait payer en les forçant à s'exercer avec plus d'ardeur que d'habitude. Il pressait le citron jusqu'à ce qu'ils tombent d'épuisement. Grand-père avait un contrôle absolu sur eux. Ce n'est pas sans raison que mon père et mes oncles sont des «mésadaptés».

J'ai toujours vu ma grand-mère servir son mari et ses fils. La plupart du temps, elle ne rouspétait pas, même si mon grand-père l'insultait. À plusieurs occasions, j'ai remarqué que mon grand-père et mon père la méprisaient. Pour les Hilton, c'était une tare d'être une femme.

Jeannie Hilton, de son nom de fille McMillan-Mills, est née à Halifax. Ses parents sont morts dans un accident d'automobile alors qu'elle était très jeune. C'est elle qui m'aura le plus influencée dans ma vie. Elle était totalement dévouée à sa famille et chaque tâche était exécutée à la perfection. Les mets qu'elle cuisinait étaient tous appétissants. Quand elle faisait le ménage, il ne restait plus un seul grain de poussière dans la maison. Elle sentait toujours bon; j'aimais enfouir mon nez dans son cou. On aurait dit qu'il y avait de la magie dans tout ce qui l'entourait.

J'adorais la manière dont elle parlait, elle était toujours calme et elle choisissait avec soin les mots qu'elle utilisait. Quand nous allions dans le jardin, elle connaissait le nom et les caractéristiques de toutes les plantes qu'elle avait fait pousser. Elle prenait ses roses dans ses mains avec une touchante délicatesse pour les observer. Si un insecte se posait sur une feuille, je n'avais qu'à le montrer du doigt à ma grand-mère et, tout de suite, elle pouvait me dire son nom et, le plus important, s'il pouvait piquer. Si c'était le cas, je me sauvais en courant. Je la soupçonne de m'avoir caché la vérité à l'occasion juste pour que je n'aie pas peur.

Au milieu de l'été, quand les plantes que ma grand-mère avait semées avaient produit de petits fruits, je les cueillais et elle me préparait du sucre et du lait pour que je puisse les déguster.

Elle avait une impressionnante collection de figurines où il n'y avait jamais une trace de poussière, comme si, chaque jour, elle les astiquait soigneusement. Je pouvais passer des heures à les regarder.

Sa maison était toujours ordonnée. Quand on y entrait, la vue qui s'offrait était harmonieuse et apaisante. Chaque chose était à sa place et il n'y avait jamais de désordre.

Sa salle de bains était un véritable fantasme rendu réalité pour la petite fille que j'étais. Il y avait des dizaines de pots de crème et des accessoires de beauté de tous les genres. Assise sur les toilettes, alors qu'elle me maquillait, elle ne cessait de me dire que j'étais aussi belle que Shirley Temple, son idole. Quand elle était jeune, elle aurait voulu lui ressembler.

Chaque soir, elle chantait pour moi des chansons de Paul Anka (*Put Your Head On My Shoulder*), de ABBA et des airs des films de Walt Disney. J'ai l'impression qu'elle me considérait comme un cadeau de Dieu parce qu'on lui avait enlevé sa fille, Johanne. Elle me traitait comme si j'étais la personne la plus importante du monde.

Il arrivait que grand-père entraîne d'autres boxeurs (dont Mario Cusson, qui a été mon premier coup de foudre de jeune fille!). Certains d'entre eux apportaient des fleurs à grand-mère Jean et l'appelaient « maman ». Tout le monde l'aimait.

Puis, à onze ou douze ans, j'ai réalisé qu'elle n'avait pas que des qualités. Grand-mère Jean était très jalouse de ma mère. Ces deux-là se sont déjà battues pour des raisons stupides. Grand-mère se demandait à voix haute comment une femme comme ma mère pouvait vivre sous son toit. Elle l'a déjà traitée de malpropre parce qu'elle n'avait pas eu le temps de laver la vaisselle. Ma mère ne s'est pas laissé faire, la discussion a tourné au vinaigre, grand-mère Jean s'est emparée d'une tasse et a frappé ma mère à la tête.

Lorsqu'ils se sont mariés, mes parents occupaient le sous-sol de la grande maison à Rigaud. Quand mon père allait s'entraîner, ma mère restait enfermée dans sa chambre toute la journée. Il y avait deux raisons à son comportement.

Premièrement, elle détestait ma grand-mère, l'inverse étant aussi vrai. Elle ne côtoyait ma grand-mère que lorsque c'était vraiment nécessaire.

Deuxièmement, elle ne voulait pas se faire accuser par mon père d'avoir fait de l'œil à l'un de ses frères et ainsi se faire battre.

Alors que ma mère était enceinte de moi, il y a eu un entraînement public où la presse était invitée. Mon père était le centre d'attraction; il venait de se marier, sa femme allait bientôt accoucher et sa carrière était des plus prometteuses. C'était grand-mère Jean qui devait avertir ma mère lorsque le temps serait venu de partir. Elle ne l'a jamais fait. Lorsqu'il est revenu à la maison, mon père a demandé à ma mère pourquoi elle n'était pas venue à l'entraînement. Elle lui a répondu que c'était parce que grand-mère Jean ne l'avait jamais avertie; ma mère l'avait attendue toute la journée et avait cru, finalement, que l'événement avait été annulé.

Mon père a demandé des explications à grand-mère Jean et elle lui a affirmé qu'elle avait appelé ma mère plusieurs fois, mais que celle-ci ne lui avait jamais répondu.

Chaque fois que l'occasion se présentait, ma grand-mère se montrait mesquine avec ma mère. Une fois, ma mère est sortie de la salle de bains où elle venait de se laver les cheveux, elle les avait tout ébouriffés avec une serviette. Je l'ai montrée du doigt et, avec mon rire de fillette de cinq ans, j'ai demandé à ma grand-mère pourquoi les cheveux de ma mère étaient coiffés de la sorte. Sa réponse a été cinglante: «Parce qu'elle est stupide.» Même si je ne savais pas ce que le mot «stupide» signifiait, le ton qu'elle avait utilisé m'avait fait comprendre le sens de sa phrase.

Il y avait beaucoup de rivalités entre ces deux-là. Tout au long de la première grossesse de ma mère, ma grand-mère ne cessait de lui casser les oreilles avec le fait qu'elle avait accouché de ses six enfants de façon naturelle, qu'elle avait enduré toutes les douleurs à froid. Elle en était fière et ne se gênait pas pour le faire savoir.

Alors, lorsque ma mère a accouché de moi, même si elle a souffert le martyre, juste pour ne pas donner raison à ma grand-mère, elle a refusé la médication que les infirmières et les médecins lui ont offerte. Mon père lui disait de ne pas s'en faire, que tout le monde s'en foutait, mais elle n'a pas cédé. C'était un peu comme une bataille de basse-cour entre poules pour impressionner les coqs.

Je porte le prénom de Jeannie non pas en l'honneur de ma grand-mère paternelle, mais bien parce que ma mère était une admiratrice de l'émission *I Dream of Jeannie* (connue au Québec sous le nom *Jinny de mes rêves*). Ma mère aimait le rappeler à ma grand-mère et elle le faisait aussi souvent qu'elle le pouvait.

Un jour, nous avons eu une discussion, grand-mère et moi, au sujet de l'école. Je venais de lui annoncer que j'avais l'intention de fréquenter un jour l'université. Elle m'a dit: «Jeannie, je ne comprends pas pourquoi tu veux poursuivre tes études. Explique-moi. Tu as appris à lire, écrire, additionner, soustraire, multiplier, diviser; ce sont les seules choses dont tu as besoin. Ne perds pas ton temps. De toute façon, quoi qu'il arrive, tu vas aboutir à la maison avec plein d'enfants. Avec le ménage, les repas, les bébés, où vas-tu trouver le temps de *penser*? À quoi toute cette éducation va te servir?» Voilà qui résume très bien les deux rôles principaux de la femme dans la famille Hilton: faire des enfants et servir.

Dès ma naissance, grand-mère Jean a été présente en permanence dans ma vie. Elle était plus qu'envahissante; elle jouait à la mère avec moi. Elle m'a montré comment être une fille coquette, comment me brosser les cheveux, comment bien parler. C'était toujours elle qui me donnait le bain. Ma mère jouait un rôle secondaire.

Un peu plus haut, j'ai dit que mon grand-père préservait jalousement sa cellule familiale. Il y avait une exception à la règle: la famille Cotroni. Il est de notoriété publique que Frank Cotroni, le chef de la mafia calabraise montréalaise, était un grand ami de mon grand-père. Frank Cotroni avait même appelé un de ses chiens Hilton.

Mon père a grandi avec les enfants de Cotroni. Les deux familles étaient très proches.

C'est Cotroni qui a négocié avec Don King pour que mes oncles puissent faire leur entrée dans les grandes ligues… avec les résultats qu'on connaît. Je ne m'aventurerai pas à raconter ce qui s'est vraiment passé, une commission d'enquête l'ayant déjà fait.

J'ai rencontré Frank Cotroni à deux occasions parce qu'il était mon parrain. À mon dixième anniversaire, il m'a offert une radio et deux billets de cent dollars, ce qui, à cet âge, vous en conviendrez, représente une grosse somme d'argent!

Laissez-moi vous parler de mes oncles et de ma tante.

Alex a toujours été le grand rival de mon père. Il était le mouton noir, toujours en compétition avec son frère aîné. Il était svelte et grand, contrairement à mon père qui était plus costaud.

J'enviais les deux fils d'Alex (qui se prénomment Davey et Alex) parce que leur père prenait soin d'eux; il changeait les couches, donnait les biberons et jouait avec eux. J'aurais tant voulu recevoir autant d'attention de la part de mon père!

Je me rappelle une sortie à la cabane à sucre où Alex promenait un de ses enfants sur ses épaules. Je me disais: « Wow, c'est incroyable, il aime ses enfants et il le montre! »

La première fois qu'Alex est allé en prison, c'est parce qu'il avait battu Olga, sa femme (qui était d'origine italienne). Puis, avec quelques-uns de ses camarades prisonniers, il a voulu donner une leçon à un violeur d'enfants: ils l'ont violé à leur tour. Le prisonnier a porté plainte et Alex a dû passer quelques années de plus en prison pour ce délit.

Pendant ce temps, ma grand-mère Jean laissait tomber la guerre juridique qu'elle menait contre Olga afin d'avoir la garde des fils d'Alex. Les avocats coûtaient cher et elle s'est lassée. Alex s'en était désintéressé aussi.

Mon grand-père aimait les deux enfants d'Alex parce qu'ils étaient des garçons. Il aurait bien voulu en faire des champions de boxe. Je crois que c'est une chance pour eux qu'il n'ait pas pu leur mettre la main dessus.

Lentement, les petits Davey et Alex se sont effacés de la mémoire de la famille Hilton. Je crois qu'Olga s'est remariée. Elle a refait sa vie et, à ce qu'on m'a dit, elle s'est très bien tirée d'affaire, ses enfants aussi.

Les photos que ma grand-mère gardait des petits ont un jour disparu. Elles ont été remplacées par celles de mes deux frères. «Où sont passées les photos de mes deux gars?» a demandé Alex à sa mère. Elle lui a répondu qu'elle les avait temporairement retirées de la bibliothèque parce qu'elle voulait changer le cadre. On ne les a plus jamais revues et Alex n'a plus posé la question à nouveau. Il avait compris que ses fils avaient été bannis du clan Hilton.

Mon père était l'étoile à l'intérieur et à l'extérieur du ring. Ma grand-mère préférait Alex, mais comme grand-père Dave était l'expert de la maison en matière de boxe, on ne parlait que rarement des exploits d'Alex. Alex l'a toujours mal digéré. C'était toujours Dave, Dave et Dave.

Je pense que ma grand-mère, en surprotégeant Alex, faisait de lui une cible de choix pour mon grand-père. Il s'en servait pour valoriser Dave et y mettait le paquet. Alex était le vilain petit canard.

Il a aujourd'hui deux ravissantes petites filles qu'il a eues avec une dame d'origine asiatique.

Le 10 juillet 2001, Alex s'est battu contre mon oncle Joe. Il a été mis K.-O. À ce moment, je me suis dit que sa carrière était terminée. J'ai beaucoup pleuré.

Depuis, il se bat de temps en temps pour des sommes d'argent ridicules. Peut-être a-t-il encore espoir de retrouver sa touche magique. Chaque fois que je le vois se faire terrasser par un inconnu, ça me plonge dans une tristesse sans fond.

Matthew était mon favori. Je voulais me marier avec lui. C'était comme s'il ne venait pas de la même famille. Doux, calme et drôle, il ne s'emportait jamais.

Partout où il allait, il m'emmenait avec lui. Je me rappelle avoir, pour la première fois de ma vie, expérimenté la jalousie avec une de ses petites amies qui se prénommait Sonia. Je ne m'en laissais pas imposer par elle. Lorsque Matthew conduisait, j'insistais pour être assise avec lui à l'avant, même si sa copine était dans la voiture. Matthew me passait mes caprices de princesse parce qu'il les trouvait amusants. Pas sûre que c'était le cas de Sonia; elle a sûrement dû vouloir m'étrangler à quelques reprises!

Lorsque nous allions dans un parc où il y avait une colline, Matthew m'assoyait sur ses épaules et, en courant, la dévalait. Je criais comme une folle. Chaque fois que je le lui demandais, il recommençait. Il était adorable.

Il était le seul dans la maison à s'intéresser à ce que je faisais à l'école. Il me posait plein de questions. Quel était mon professeur préféré? Quelle matière m'intéressait le plus? Il voulait toujours voir mes bulletins lorsque je les recevais. Il était aussi le seul à m'encourager à persévérer à l'école.

Jamais je n'ai réussi à le faire sortir de ses gonds, même si je le harcelais. Croyez-moi, j'ai essayé! Il était d'une placidité incroyable. Rien à voir avec les bombes à retardement qu'étaient mon père et Alex.

Lorsque j'étais toute petite, lui et moi nous embrassions sur la bouche, un peu comme un frère et une sœur le feraient. Il n'y avait rien de sexuel, c'était uniquement un geste d'affection que nous partagions. À onze ans, il a fallu que j'arrête. Lorsque mon père m'a vue embrasser oncle Matthew, que je n'avais pas vu depuis des mois, ses yeux sont sortis de leurs orbites. Je savais que quelque chose n'allait pas. Dès qu'il en a eu l'occasion, il m'a battue. Il ne m'avait jamais dit qu'il ne voulait pas que j'embrasse son frère de cette façon. Visiblement, il n'appréciait pas du tout que je m'entende si bien avec lui.

J'ai souvent dormi dans le même lit qu'oncle Matthew et il ne m'a jamais touchée, pas même effleurée. Nous écoutions aussi des films d'horreur collés sous une couverture, en compagnie de mes autres oncles. Effrayée par ce qui se déroulait à l'écran, je cachais mon visage dans le creux du bras de Matthew et il me prévenait lorsque le sang avait fini de gicler ou lorsque le zombi avait terminé son repas de chair humaine.

Tout comme son père et ses frères, Matthew était alcoolique. Lorsqu'il avait trop bu, il m'accrochait et ne cessait de me demander si je l'aimais. Il avait un besoin viscéral qu'on le lui dise, besoin qu'il arrivait à contrôler quand il était sobre. J'étais sûrement la seule personne à qui il pouvait poser la question parce qu'il savait quelle serait ma réponse.

Il était un boxeur hors pair. Mon père était le favori de mon grand-père, il était le leader. Alex essayait de prendre sa place. Puis Matthew a formé le troisième angle du triangle lorsqu'il est devenu champion du monde. Matthew n'aimait pas être en compétition avec ses frères, il vivait sur une autre planète. Mon père était enragé de voir son petit frère le surpasser.

Je me suis toujours demandé s'il y avait un mot plus fort que « possessif »... Si c'est le cas, il s'applique à mon père.

À Rigaud, lorsqu'il se rendait compte que j'écoutais la télévision avec Matthew, mon père m'annonçait toujours que c'était l'heure de me coucher, même s'il était très tôt dans la soirée.

Il voulait toujours que je lui dise que c'était lui que j'aimais, que c'était lui mon père et pas un autre.

À partir du moment où Matthew a perdu sa ceinture de champion du monde, sa carrière a subi une longue agonie. Grand-père Dave avait obtenu une avance sur les bourses de Matthew, qui faisait partie des protégés de Don King. Ces avances, il s'en est servi pour parier. Il a tout perdu. Étranglé par des dettes de jeu et ne voulant pas être aux prises avec les « amis » de Don King — qu'on disait impitoyables —, il a forcé son fils Matthew à mettre son titre en jeu, même si celui-ci se remettait lentement d'une grave blessure aux côtes. Oncle Matthew ne voulait pas se battre, il n'était pas prêt ; ses côtes étaient si mal en point qu'il avait du mal à respirer. L'idée que ses côtes allaient se faire frapper par un boxeur plein de hargne voulant conquérir un titre mondial l'effrayait au plus haut point. Mon grand-père lui disait : « Pourquoi es-tu si faible ? Tu es le champion du monde, LE champion du monde. »

Le pauvre Matthew, qu'on devait toujours réconforter, qui me demandait si j'aimais le regarder boxer et si j'allais pleurer s'il perdait un jour, a été jeté sans défense par son père dans une cage avec un lion affamé. Durant les pauses entre les rondes de ce fatidique combat, il se lamentait à son père que ses « choses » lui faisaient trop mal pour continuer (il utilisait le mot « choses » en raison des caméras de télévision et des micros braqués sur lui). Grand-père Dave tentait de le rassurer. Il lui soufflait que tout allait bien, qu'il était le meilleur, qu'il était LE champion du monde et qu'il allait gagner. C'était perdu d'avance.

Matthew est sorti amer de cette aventure. Il a eu l'impression de n'avoir été qu'une machine à faire de l'argent et d'avoir été abusé, ce qui est le cas. Après, il s'est mis à boire et à fumer de façon excessive. C'était pathétique de le voir incapable de grimper dans son lit parce qu'il était trop saoul.

Je ne l'ai pas vu depuis longtemps. J'habite les États-Unis depuis des années et je suis convaincue que je suis au bon endroit pour vivre et élever ma famille. Mais il y a une partie de mon cœur qui est restée au Québec, et cette partie est beaucoup liée à oncle Matthew.

Je n'ai pas beaucoup de souvenirs de Stewart parce qu'il est mort à dix-sept ans alors que j'étais assez jeune. Il avait toujours de bonnes raisons de ne pas se trouver à la maison. Il n'aimait pas l'atmosphère qui y régnait. C'était un adolescent rebelle ; même si Dave père le corrigeait, il ne changeait pas sa façon d'agir. Il fumait en cachette et me faisait promettre de ne le dire à personne. Il était gentil avec moi.

Lucie, sa copine, avait de longs cheveux noirs. Je les espionnais lorsqu'ils étaient enfermés dans la chambre de mon oncle Stewart, mais je me faisais toujours surprendre.

Il conduisait, même s'il n'avait pas de permis de conduire. Après une violente dispute avec mes grands-parents, furieux, il a pris une des voitures dans le stationnement et a quitté les lieux en faisant crisser les pneus. Il a fait la course avec un autobus scolaire, il a perdu le contrôle et a eu un accident. La force de l'impact l'a tué. Lucie, qui était à bord de l'auto avec Stewart, est morte aussi.

Personne ne voulait croire qu'il était décédé. On croyait plutôt qu'il avait décidé de s'enfuir avec sa copine pour aller se marier. Mes grands-parents s'opposaient au mariage parce qu'ils le trouvaient trop jeune. Stewart tenait tête à mon grand-père et celui-ci préférait croire que la mort de son fils était un scénario qu'il avait imaginé pour se débarrasser de ses parents si envahissants.

C'est mon père qui a dû se rendre à la morgue pour identifier le corps. Il m'a raconté par la suite qu'en entrant dans la chambre de Stewart, il avait perçu une odeur de chair brûlée.

Je me souviens d'avoir pleuré dans les escaliers de la maison. Je venais de réaliser que je ne verrais plus jamais oncle Stewart. À lui aussi, on lui prédisait un brillant avenir de boxeur. On le comparait beaucoup à mon père.

Cet événement a traumatisé mon père. Sa consommation de drogue et d'alcool a radicalement augmenté après les funérailles de Stewart. Personne ne devrait mourir à dix-sept ans, surtout pas un Hilton. Tous ces sacrifices, toutes ces heures d'entraînement pour rien. Il m'arrive de me demander parfois si Stewart s'en serait mieux sorti que mon père, Alex et Matthew. Étant donné qu'il avait été façonné dans le même moule, j'en doute.

Stewart et Lucie, même s'ils étaient à la fin de l'adolescence, étaient parents d'un petit garçon qu'ils avaient appelé Stewart. J'ai déjà demandé à ma grand-mère si elle l'avait déjà vu. Elle m'a répondu par l'affirmative en ajoutant qu'il était une copie conforme de son père, sauf qu'il parlait français, ce qui la rebutait.

Ce sont les parents de Lucie, la fille aux longs cheveux noirs que je prenais plaisir à espionner, qui ont élevé le petit Stewart. Parce qu'il parlait français, il a été automatiquement exclu du clan Hilton

Jimmy est plus âgé que moi d'une douzaine d'années. Quand j'avais cinq ans, il en avait dix-sept, je crois, mais il agissait comme un gars de douze ans. Il a été gâté pourri. Tous les jouets qu'il voulait, on les lui achetait. Grassouillet, il avait hérité du physique « ingrat » de ma grand-mère, contrairement aux autres garçons.

Il détestait s'entraîner et il fuyait le gymnase plus souvent qu'autrement. Il dormait toute la journée. Mon grand-père ne le corrigeait pas avec autant d'aplomb que ses autres fils ; peut-être avait-il compris qu'avec Jimmy, c'était peine perdue. Il était trop dissipé et on le considérait comme le bébé de la famille. Jimmy avait quand même très peur de grand-père Dave.

Il avait la boxe en lui, comme tous les Hilton, mais il était paresseux. Il a fait quelques combats amateurs, sans plus. Il aimait rester à la maison avec grand-mère Jean. Les exploits de ses frères le comblaient de joie et il n'en demandait pas plus. Il n'avait rien à voir dans la relation qu'entretenaient mon père, Alex et Matthew.

Oncle Jimmy me faisait penser à un furet. Il courait partout et se glissait toujours dans de petits endroits. Il mettait son nez là où il ne devait pas et, quand il faisait quelque chose, il le racontait à tout ce qui avait des oreilles. Il était un peu comme mon grand frère. Je le taquinais parce qu'il avait des taches de rousseur sur le visage. Ça l'agaçait!

Nous étions complices lorsque venait le temps de faire des mauvais coups. Oncle Matthew avait sa propre chambre parce que ses performances sur le ring étaient exceptionnelles. Il avait une chaîne stéréo dernier cri, des vêtements à la mode, de l'équipement de boxe tout neuf et plein de gadgets géniaux. Pour protéger son trésor, oncle Matthew verrouillait la porte de sa chambre. Il ne voulait voir personne y entrer. Personne. C'était son territoire.

Un jour, oncle Jimmy m'a demandé si je voulais jouer à Supergirl (j'aurais tant aimé avoir la blonde chevelure de mon héroïne!). Je lui ai répondu oui.

Matthew avait à sa disposition, dans la garde-robe de sa chambre, une chute à vêtements. Jimmy m'a expliqué son plan: «Oncle Jimmy va te faire grimper sur ses épaules, il va te glisser dans la chute, tu vas entrer dans la chambre d'oncle Matthew et tu vas m'ouvrir la porte, c'est d'accord?» J'ai froncé les sourcils: «Mais oncle Matthew va être fâché.» Jimmy m'a tapoté la tête: «Non, ne t'inquiète pas, il n'en saura rien. Ce sera un secret entre toi et moi, d'accord?» Il m'a fait un clin d'œil et j'ai accepté.

Chaque fois que Jimmy voulait emprunter quelque chose à Matthew sans que ce dernier le sache, il criait «Supergirl!» et j'accourais. Le truc s'est su dans la maisonnée. Donc, Alex et Stewart faisaient la même chose.

Sa chambre étant toujours bien rangée et d'une impeccable propreté, il n'a pas fallu beaucoup de temps pour que Matthew constate que des intrus y entraient lorsqu'il n'était pas là. Quand la vérité a éclaté, Jimmy et Matthew ont eu une mémorable engueulade. Et parce qu'avec les Hilton, une dispute verbale n'en reste jamais là, les coups ont commencé à pleuvoir. C'était plus de la lutte que de la boxe. Un cercle s'est formé autour d'eux et, pour une fois, l'histoire s'est terminée en éclats de rire.

Pour faire changement, Jimmy aussi a eu des problèmes d'alcoolisme et de drogue. Il n'était pas comme les autres. C'était comme si c'était un petit garçon qui buvait, un petit garçon qui voulait devenir grand.

Lorsque j'étais en quatrième année du primaire, il ne savait ni lire ni écrire. Dans beaucoup de domaines, j'en connaissais plus que lui. Je vieillissais, mais pas lui. Même adulte, il est resté un petit garçon, un petit garçon que sa famille a couvé, comme pour le protéger de la menace que représentait l'extérieur. Sa mère, son père et ses frères le protégeaient. Le monde des Hilton était la seule chose qu'il connaissait. Il était intelligent, très intelligent même : le problème est que personne ne le stimulait.

Un jour, il a fait la connaissance d'une fille qui allait au collège. Elle l'a poussé à entreprendre des études. Il a appris à lire et à écrire et plus encore. Je suis heureuse pour lui.

Lorsque j'ai grandi et que j'ai pris conscience que j'étais une fille (avec tout ce que ça implique), tante Johanne, la seule fille Hilton, est devenue mon modèle. D'ailleurs, aujourd'hui, j'ai la même voix et le même éclat de rire qu'elle.

Tante Johanne faisait preuve d'une remarquable gentillesse et était toujours bien habillée. Elle ressemblait à une vedette de cinéma. Difficile de croire que le même sang coule dans les veines de mon père et de mes oncles.

Malheureusement, on ne la voyait pas souvent. Un secret entourait Johanne. Si elle était la grande sœur des frères Hilton, pourquoi ne vivait-elle pas avec eux dans la résidence familiale, qui était assez grande pour l'accueillir ?

On expliquait la chose ainsi : Johanne aidait Mary, mon arrière-grand-mère, la mère de grand-père Dave, parce qu'elle était malade.

Aussi, avec tous les entraînements des garçons, personne n'avait le temps de s'occuper d'elle. « Elle est plus heureuse avec Mary qu'avec nous », me disait-on pour justifier son absence. On aurait aussi pu ajouter, avec plus de franchise, qu'elle était une fille. Et on ne peut pas faire d'une fille une championne de boxe. Dans ce temps-là, l'idée était inconcevable. Qu'est-ce que Dave père aurait bien pu faire d'une fille?

Johanne n'était pas dupe. Elle s'est sentie abandonnée. Ses frères recevaient tant d'attention! Pourquoi Dave père ne lui avait-il pas fait une place? Même minuscule, elle s'en serait contentée.

Elle a deux enfants: Alexander et Stewart (en l'honneur de mon oncle décédé). Chaque fois que nous nous voyons, c'est la fête. J'aimerais qu'ils sachent qu'ils n'ont rien à voir dans tout ce qui est arrivé, que je les aime, qu'ils sont de mon sang et que je les sais capables de distinguer ce qui est bien de ce qui ne l'est pas.

LA RELATION DE DAVE HILTON JUNIOR ET D'ANNA MARIA GATTI SELON...

Anne Marie

Ma mère en avait assez de la vie qu'elle menait chez ses parents et elle aurait tout fait pour quitter cet enfer. Y compris entrer dans un autre enfer, celui de la famille Hilton. Il lui semblait beaucoup moins pénible que celui qu'elle vivait tous les jours. Elle était prête à faire de gros compromis afin de sortir de là. L'un d'eux était de passer outre le comportement possessif de mon père. C'était beaucoup moins dangereux que les attaques physiques de Giovanni Gatti pour tout et pour rien.

Mon père et ma mère étaient très jeunes lorsqu'ils se sont mariés ; les deux venaient d'avoir dix-huit ans.

Après le mariage, mon père est devenu de plus en plus jaloux. Il interdisait à ma mère de jeter un coup d'œil à un autre homme. Si cela arrivait, il lui demandait si elle le trouvait de son goût, si elle voulait « se faire sauter par lui ». Mon père l'accusait, sans aucune raison, de coucher à gauche et à droite.

Ma mère croyait que mon père était jaloux parce qu'il l'aimait.

Jeannie

C'est ma mère qui m'a raconté comment elle avait rencontré mon père.

Giovanni Gatti voulait que ses fils deviennent boxeurs. Ma mère étant à l'époque un garçon manqué (elle a déjà foutu une raclée à un garçon qui voulait s'en prendre à son frère Joe), son père avait cru bon de l'intéresser aux « affaires de gars ». Il la trimballait donc avec Joe à l'Olympia Gym à Montréal. Elle avait treize ans.

Elle avait remarqué cet homme costaud qui entraînait ses fils. Certains étaient jeunes, trop jeunes pour être dans un gymnase entourés de durs à cuire.

L'un des garçons, le plus vieux, était la chose la plus jolie qu'elle avait vue dans sa vie. Il paraissait timide et ma mère n'a pas osé l'approcher.

Ma mère n'aimait pas trop accompagner son père et Joe au gymnase, mais, à compter du jour où elle a croisé le regard de mon père, elle ne ratait aucune occasion d'y aller, insistant parfois même auprès de son père dès qu'elle trouvait le temps trop long entre deux visites.

Ironiquement, le premier contact que ma mère a eu avec les Hilton s'est fait par l'entremise de ma grand-mère. Elle trouvait plus facile de passer par la mère pour atteindre le fils.

Les deux langues que ma mère maîtrisait étaient le français et l'italien (mon père a toujours catégoriquement refusé qu'elle me parle en français). Son anglais était un peu boiteux, mais à force d'écouter *I Dream of Jeannie* et les films d'Elvis Presley, elle a réussi à se faire comprendre. Mon père était une bonne raison de se forcer à apprendre la langue de Shakespeare !

Grand-mère Jean était gentille et le plan imaginé par ma mère a fonctionné : mon père a demandé à Giovanni la permission de téléphoner à sa fille.

Grand-père Giovanni aimait les enfants Hilton parce qu'ils correspondaient à l'image qu'il avait des enfants parfaits : disciplinés et bons travailleurs. Il voyait d'un bon œil que sa fille fréquente Dave Hilton junior, car il était bien différent des autres garçons de son âge qui n'avaient souvent pas de but dans la vie et qui souffraient d'un manque d'éducation flagrant.

Grand-père Giovanni, au contraire de grand-père Dave, croyait qu'une fille pouvait être autre chose qu'une pondeuse et une servante. Il voulait que sa fille devienne la comptable de sa compagnie d'électricité. Pour lui, l'éducation avait une importance capitale.

Les conversations téléphoniques entre ma mère et mon père ont débuté. Ma mère s'est vite rendu compte que mon père était toujours sollicité par son père qui ne lui laissait jamais une seconde de répit. C'était toujours « Dave, viens faire ci » ou « Dave, viens faire ça ». Les discussions au téléphone étaient courtes parce que mon père était toujours occupé à faire quelque chose. Il était évident que grand-père Dave avait un contrôle absolu sur son fils, même en dehors du gymnase.

À seize ans, mes parents ont officiellement commencé à se fréquenter. Mon père affichait déjà des comportements de possessivité excessive.

Par exemple, après avoir quitté ma mère au gymnase, dès que mon père arrivait à la maison, il lui téléphonait. Si ma mère avait raté son autobus, il lui posait mille et une questions. Il la traitait de menteuse, il disait qu'elle était allée voir d'autres garçons, il lui disait qu'elle n'était qu'une traînée. Elle le rassurait en lui disant qu'elle avait simplement raté son autobus. Elle aurait tout fait pour plaire à mon père.

À la maison familiale de ma mère, la situation n'était pas rose. Les abus de Giovanni se poursuivaient à un rythme soutenu. Si ma mère commettait l'erreur de lui répondre un peu sèchement ou avec détachement (des manières d'être typiques des adolescents, vous en conviendrez), elle recevait des gifles. Si ses résultats à l'école ne plaisaient pas à grand-père Giovanni, il la faisait s'agenouiller sur le gravier du jardin pendant de longues minutes. Tout était prétexte à la torturer au nom de la discipline.

Il était évidemment inacceptable de faire l'amour avant d'être mariée, du côté des Gatti comme des Hilton. Lorsqu'une femme offrait sa virginité à son mari, c'était le plus beau présent qu'elle puisse lui faire. C'était une manière de lui prouver qu'elle était à lui, qu'elle remettait entre ses mains son destin et qu'elle lui resterait fidèle jusqu'à la mort.

Mon père et ma mère ont toujours maintenu qu'ils n'avaient pas fait l'amour avant leurs noces. Un jour, mon père, en état d'ébriété avancée, m'a fait une confidence: ce n'était pas vrai, ils l'avaient fait avant le mariage.

Mon père accusait sans cesse ma mère de ne pas être vierge. On avait inculqué à ma mère et à mon père qu'une femme qui n'était plus vierge n'était pas bonne à marier parce qu'elle était souillée; ce que mon père avançait était donc très grave.

Ma mère avait beau pleurer et jurer sur la tête de tous les saints qu'elle était toujours pucelle, rien n'y faisait, il ne la croyait pas. Il lui a dit que le mariage était annulé et qu'il ne voulait plus rien savoir d'elle.

Il lui a raconté que dans une certaine ville de l'Ontario très anglaise (comme Scarborough ou London), un homme avait divorcé de sa femme dès qu'il avait constaté, le jour de leur mariage, qu'elle n'était pas vierge. «Tu as vu ce qui est arrivé? Si je suis arrivé à le savoir, c'est que tout le monde le savait, lui a dit mon père pour ajouter du poids à ses propos. Je ne veux pas que ce genre d'histoire m'arrive. J'aurais honte toute ma vie d'avoir épousé une putain.»

Grand-mère Jean avait donné un truc à son fils pour savoir si une fille était vierge: si, quand on la pénètre, c'est très serré et si elle crie et pleure de douleur, c'est bon signe: elle est vierge.

Mon père est parvenu à ses fins malgré les principes de ma mère et il y a eu relation sexuelle. Le mariage n'a pas été annulé. Ma mère a vécu la plus belle journée de sa vie, tout était parfait. Elle réalisait un rêve de petite fille.

NOTRE ENFANCE
ET NOTRE ADOLESCENCE

NOTRE ENFANCE AVANT L'ÉCOLE SELON...

Anne Marie

Nous allions à la pêche, c'est le seul souvenir que j'ai de mon père qui ne fait pas mal quand j'y repense.

La veille, nous ramassions les cannes à pêche, les appâts et les gilets de sauvetage et les rangions dans le coffre de l'automobile.

Mon père adorait pêcher et il avait un sourire accroché au visage tout au long des préparatifs.

Nous partions très tôt le matin, aux aurores. Une fois rendus, nous passions toute la journée dans une chaloupe à écouter la nature. Parfois, nous attrapions un poisson. S'il était trop petit, mon père lui rendait sa liberté.

Je trouvais le temps long. Nous ne quittions la chaloupe qu'à dix ou onze heures du soir. Mais j'étais avec mon père; c'était ce qui comptait.

Quand j'étais petite, tout allait relativement bien. Sauf pour ma mère qui se faisait battre régulièrement. Et ce n'étaient pas des petites tapes qu'elle recevait, non, c'étaient de solides coups de poing. Des « crochets du droit », comme on dit à la boxe.

Un de mes premiers souvenirs d'enfance se déroule alors que j'ai trois ou quatre ans. Ma mère est dans le coin de la cuisine, recroquevillée. Elle ne pleure pas, elle est calme. Mais mon père vient de la battre assez vigoureusement pour qu'elle ne puisse pas se relever.

Je me rappelle avoir pris un couteau et avoir crié à mon père en pleurant de laisser ma mère tranquille.

Mon père n'était jamais tendre avec ma mère. Il n'avait jamais de mots doux pour elle. Il était mille fois plus méchant que gentil.

Quand ma mère conduisait l'automobile et que mon père croyait qu'elle avait regardé un autre homme, il la battait une fois rentré à la maison. C'était hallucinant à quel point il était possessif.

Si je dormais chez mes grands-parents Hilton, il me faisait sentir coupable quand je revenais à la maison. Il me disait qu'il n'était plus mon père parce que je préférais ses parents, qu'il allait devoir s'en aller et qu'il ne pourrait plus s'occuper de nous. Il faisait la même chose si je passais un peu trop de temps à son goût avec mes oncles. Je pleurais, je le suppliais de ne pas s'en aller. Il me répondait qu'il allait y penser. J'allais me réfugier dans ma chambre et j'enfouissais mon visage dans mon oreiller ; j'avais tellement peur d'être responsable de son départ que je n'en dormais pas la nuit.

Jeannie

Quand mon père me donnait un peu d'amour, j'avais l'impression que la terre s'arrêtait de tourner, rien de moins. Parfois, il prenait sa guitare, jouait quelques notes et, quand je reconnaissais la chanson, je me mettais à la chanter, toujours les mêmes bonnes vieilles chansons : *It's Breaking My Heart* de Jerry Vale et *Daddy's Little Girl*.

Je le regardais parfois s'entraîner. J'adorais ça ! De temps en temps, il me faisait des clins d'œil ou des grimaces. Il me demandait de tenir ses serviettes ou sa corde à sauter. Il me demandait de compter le plus vite possible jusqu'à cent, puis il tentait de suivre la cadence à la corde à sauter. Il allait si vite que je me rappelle avoir entendu la corde siffler dans les airs.

Il me faisait participer à ses entraînements. Il me donnait le petit marteau et me disait d'annoncer le début et la fin des rondes en frappant sur la cloche. Pendant ces moments-là, il me faisait sentir importante.

Aussi, quand il revenait du gymnase, après s'être douché, mon père se servait un thé et m'invitait à manger un biscuit avec lui.

Lorsqu'il revenait de voyage, en entrant, il criait: «Venez voir, les filles, ce que je vous ai acheté!» Nous nous jetions sur les sacs en plastique. Nous sortions les vêtements et les essayions. Parfois, j'étais si excitée que j'enfilais des vêtements qui appartenaient à ma mère.

Ce n'était jamais calme quand mon père et ma mère se trouvaient au même endroit. Il y avait toujours de la dispute. Toujours.

Quand j'avais deux ans, ma mère a annoncé à mon père qu'elle avait l'intention de le quitter. Il lui a répondu que si elle partait, il allait me baiser. Ma mère, offusquée, en a parlé à grand-mère Jean qui a semoncé son fils: «C'est atroce ce que tu as dit, Dave.» Mon père a éclaté de rire et il lui a rétorqué que ce n'était qu'une blague. Il n'a finalement pas attendu que ma mère le laisse pour me baiser.

Je me rappelle les mots durs de mon père à l'endroit de ma mère. Je ne les comprenais pas vraiment, étant trop jeune, mais je savais qu'ils n'étaient pas gentils. «Stupide pute», «salope», «conne» et «chienne» faisaient partie du vocabulaire de mon père.

Sans parler de l'abus qu'il faisait du mot *fuck*, l'un des mots les plus vulgaires de la langue anglaise. Chaque phrase qu'il disait comprenait au moins un *fuck* bien senti.

Ma mère ne pleurait jamais devant nous. Elle gardait toujours son sang-froid, même si elle saignait du nez ou avait une lèvre ouverte. Quand elle se réfugiait dans la salle de bains, je frappais à la porte: «Maman, maman, est-ce que ça va?» Elle répondait qu'elle voulait qu'on la laisse tranquille, que tout allait bien, mais qu'elle avait besoin d'un peu de calme.

Quelques longues minutes plus tard, elle sortait. Elle avait le visage tout tuméfié même si, avec de l'eau froide, elle avait essayé d'atténuer ses boursouflures.

À l'occasion, après avoir battu ma mère, mon père s'excusait. Il lui disait qu'elle l'avait mérité, que c'était la seule manière pour qu'elle comprenne.

Parce qu'il le fallait bien, ma mère, même si elle avait un œil au beurre noir ou la bouche amochée, allait travailler. Elle trouvait toutes sortes de raisons pour expliquer sa blessure, mais n'avouait jamais avoir été battue par mon père.

Ma mère l'aimait tellement! Elle le trouvait talentueux, beau, charmant et propre. Lorsqu'il avait de l'argent, il l'amenait magasiner et la gâtait.

NOTRE RELATION
EN TANT QUE SŒURS SELON...

Jeannie

Petites, lorsque nous jouions ensemble, Anne Marie exagérait toujours, elle dépassait les limites. C'était comme si elle ne pouvait s'empêcher d'enfreindre les règles du jeu.

Nous étions pleines d'imagination et nous nous produisions souvent devant toute la famille Hilton, soit pour des sketchs, soit pour des chansons. Tout le monde nous encourageait, surtout mon père. Il insistait parfois pour que ma sœur et moi répétions jusqu'à ce que le résultat soit parfait. La musique, depuis ce temps, est devenue une partie importante de nos vies.

Comme dans beaucoup de maisons construites dans les années 1970 à Rigaud, il y avait un bar au sous-sol. Anne Marie et moi aimions jouer les barmaids. Tour à tour, nous faisions semblant de nous servir de l'alcool et d'en boire. Faire semblant, ce n'était pas suffisant pour ma sœur. Elle *devait* en boire.

Alors, j'allais avertir ma mère de ce qu'Anne Marie avait fait. Inévitablement, elle était punie et se retrouvait dans sa chambre. Quand je trouvais le temps trop long, je demandais à ma mère si Anne Marie pouvait sortir parce que je voulais jouer avec elle.

Ma sœur était un garçon manqué; j'étais la princesse. Il y avait toujours un problème avec Anne Marie. Quand ce n'était pas une bataille, c'était un mauvais coup qu'elle avait fait ou un professeur qu'elle avait insulté.

Anne Marie

Jeunes, ma sœur et moi, même si nous avons été élevées dans le même milieu, étions très différentes. Le jour et la nuit, même.

Jeannie était un ange lorsqu'on la comparait à moi. Il me semble qu'elle n'était jamais dans sa chambre alors que j'y passais le plus clair de mon temps parce que je n'avais pas obéi.

Lorsqu'ils apprenaient que nous étions sœurs, les gens n'en revenaient tout simplement pas. Elle était très belle et toutes les petites filles la voyaient comme un modèle. Et moi, avec ma coupe de cheveux de garçon et mes vêtements toujours sales, personne ne voulait jouer avec moi.

Mon père m'isolait de plus en plus. Je n'avais pas le droit d'avoir d'amies, je devais jouer toujours seule ou avec ma sœur.

Les seules personnes que je pouvais considérer comme des «amis» étaient mes gardiennes et les amis de mon père, qui venaient à la maison pour boire de la bière et parler de sexe.

Il y avait une rivalité entre ma sœur et moi. Nous étions tellement différentes que c'était un exploit lorsque nous nous entendions pendant une heure. Elle était féminine, elle aimait se maquiller et jouer à la Barbie. J'étais un garçon manqué, je me chicanais tout le temps et, quand quelque chose ne faisait pas mon affaire, c'est avec mes poings que je réglais le problème.

Je me faisais battre par mon père beaucoup plus souvent et plus longtemps que ma sœur parce qu'avec le temps, je m'étais endurcie. Lorsque Jeannie pleurait et était sur le sol, mon père arrêtait. Ça m'en prenait beaucoup plus pour que je pleure et m'effondre. Mon père redoublait donc d'ardeur pour me faire céder. J'étais comme un de ses adversaires sur le ring qui chancelle, mais ne veut pas tomber. Alors, il se rue sur lui et lui donne le maximum de coups pour l'achever. C'est ce qu'il faisait avec moi. Puis je craquais et je pleurais.

Mais plus il me rudoyait, plus je m'habituais à ses coups et plus j'apprenais à encaisser. J'avais six ou sept ans et je pouvais en prendre presque autant qu'un de ses partenaires d'entraînement.

LES PREMIÈRES ANNÉES
D'ÉCOLE SELON...

Jeannie

Ma première année au primaire a été éprouvante. Tout était en français. C'était difficile parce qu'à la maison, nous ne parlions qu'anglais.

Nous habitions Pierrefonds et l'institutrice était souvent méchante avec moi.

Une fois, pendant la récréation, j'avais joué dans une flaque d'eau et j'avais éclaboussé mon pantalon. Quand je suis retournée dans la classe, l'institutrice m'a fait venir devant le groupe et m'a demandé si j'avais fait pipi dans mon pantalon. Tout le monde s'est mis à rire. Durant tout le reste de la journée, c'était toujours moi qui devais aller au tableau, jusqu'à ce que mon pantalon soit sec.

Chaque matin, j'avais peur d'aller à l'école.

Mes parents m'ont retirée de cette école et m'ont inscrite à Spring Garden. C'était parfait pour moi. J'étais dans une classe d'immersion en français et la prof était gentille et compréhensive. En plus, elle parlait anglais. Quand j'avais des difficultés à m'exprimer, elle me venait en aide. L'autre me ridiculisait.

Mon père est parti s'entraîner au New Jersey avec ma sœur en prévision d'un combat. Je ne pouvais pas les accompagner parce que l'école n'était pas terminée. J'ai vécu six semaines chez une de mes amies, Victoria.

Pour la première fois de ma vie, je voyais comment ça se passait ailleurs. C'était très différent de ce que je connaissais. Victoria avait sa propre chambre et une pièce avec ses jouets. Tout lui appartenait alors que, chez nous, tout appartenait à tout le monde. Elle avait une heure qu'elle devait respecter pour aller dormir ; je n'en avais pas, j'allais me coucher lorsque j'étais fatiguée (sauf quand mon père faisait une crise de jalousie). Les devoirs faisaient partie de la routine, alors que, chez nous, les devoirs, personne ne s'en souciait. Enfin, à la maison, nous avions souvent des gardiennes ou nous restions seules. Victoria ne se faisait jamais garder, son père et sa mère étant toujours à la maison. Mon père et ma mère, pour leur part, n'étaient jamais là.

J'ai fait ma deuxième, ma troisième et une partie de ma quatrième année à Hudson, à l'école Mount Pleasant.

Les gens étaient gentils, sauf une de mes enseignantes, madame Roads. Elle était vieille et avait tout plein de rides dans le cou et au coin des yeux. Elle m'a appelée un soir alors qu'elle était en état d'ébriété pour s'excuser du comportement qu'elle avait à mon égard. Elle affirmait que je pouvais faire beaucoup plus, que mes résultats scolaires n'étaient pas le reflet de mon potentiel. Mon père lui a parlé et, en raccrochant, il m'a dit qu'il la trouvait étrange.

Quand elle était en voyage, elle m'envoyait des cartes postales avec des commentaires banals sur les paysages et les habitants du pays qu'elle visitait. C'était comme si elle se sentait coupable d'être rude avec moi. Elle agissait un peu comme le faisait mon père après m'avoir battue : elle essayait de se racheter. C'était madame Roads qui s'était organisée pour que ma classe donne de la nourriture à ma famille, après l'incident du Dunkin' Donuts.

Mon père m'aidait parfois à faire mes devoirs. Sa matière forte, c'était l'anglais (pour les mathématiques, c'était ma mère parce qu'elle avait fréquenté une école française). Quand je faisais une faute, il me faisait recopier la phrase trois fois pour que je retienne la bonne manière de l'écrire.

Grand-père Dave aussi m'assistait parfois. Je me rappel-lerai toujours la tête qu'il a faite la première fois que je lui ai demandé de m'aider à faire mes devoirs. Il m'a regardée avec des yeux en points d'interrogation, l'air de dire : « Hein, des devoirs ? Mais qu'est-ce que c'est que ça ? »

Entre-temps, mon père avait arrêté de s'entraîner. Il avait de plus en plus de problèmes avec l'alcool. Stewart venait de mourir et sa carrière stagnait.

Il ne commettait pas des vols pour nourrir sa famille, mais pour pouvoir se payer encore plus d'alcool et faire des fêtes pour ses amis. Ma mère accumulait les boulots. Parfois, elle en avait trois en même temps. Elle n'était à la maison que pour dormir.

C'est toujours ma mère qui a fait vivre la famille, jamais mon père. Mon père ne savait que boxer, sur le ring et à l'extérieur du ring. Même quand il gagnait de bons montants d'argent, nous n'en voyions jamais la couleur parce qu'il les gardait pour lui.

Je ne sais pas combien de fois mon père est allé en prison. Parfois, j'arrivais à la maison et il n'y avait personne. Ma mère nous annonçait alors, à Anne Marie et à moi, que notre père avait fait une connerie et qu'il ne rentrerait pas coucher.

À Cornwall, j'ai fréquenté la même école primaire que mon père. Des cours de gymnastique y étaient offerts et mes parents m'y ont inscrite. J'y prenais beaucoup de plaisir et j'étais assez bonne. Mon entraîneur était un homme (malheureusement pour moi).

Mon père n'arrêtait pas de me poser des questions : « T'es sûre qu'il ne t'a pas touché les seins ? Vraiment sûre ? Et là, entre tes jambes, est-ce qu'il a déjà mis la main ? » La réponse était non, mon entraîneur était professionnel et respectueux.

Mes entraînements avaient lieu trois fois par semaine et duraient de deux à quatre heures. C'était exigeant et éprouvant, mais j'aimais beaucoup ce que je faisais. Parfois, je ne pouvais pas assister aux entraînements parce que mon père était beaucoup trop saoul pour m'y conduire. Il était même trop saoul pour pouvoir glisser la clé dans le démarreur. C'était ensuite difficile pour moi de rattraper le temps perdu.

Un soir, je suis sortie du groupe avec un autre instructeur. Mon père m'attendait, assis sur le capot de notre auto. En me quittant, l'instructeur m'a dit: «À la prochaine, beauté. En entrant dans le véhicule, j'ai tout de suite senti que quelque chose n'allait pas. Mon père était en colère. «Comment il t'a appelée, ce gars?» m'a-t-il demandé. Je lui ai répondu que je ne m'en souvenais pas. «Je vais te le dire, moi. Il t'a appelée "beauté". Il t'a appelée "beauté"!»

Je lui ai expliqué qu'il ne m'aidait qu'à exécuter mes mouvements et que nos contacts étaient limités au minimum.

Ç'a été la fin de ma courte carrière de gymnaste. Mon père n'a plus jamais voulu que je remette les pieds aux cours.

En quatrième année du primaire, un garçon de ma classe, Michael, avait réussi à obtenir mon numéro de téléphone par l'intermédiaire d'un de ses amis qui s'occupait de me tenir au courant lorsque j'étais absente.

Mon père n'aimait pas du tout ça. Il me battait parce que je recevais des appels de garçons, des appels que je n'avais pas du tout demandés.

Il me posait une multitude de questions au sujet de Michael. Qui était-il? Pourquoi m'appelait-il? Qu'est-ce qu'il me voulait? Comment avait-il réussi à se procurer mon numéro de téléphone?

Au milieu de l'année scolaire, l'école a organisé une danse et Michael voulait m'y inviter. «Il n'y aura pas de danse», a décrété mon père.

Le lendemain, mon père a demandé à rencontrer Michael. Il l'a trouvé sympathique et poli, puis m'a donné l'autorisation d'y aller.

Quelques jours plus tard, tous les garçons se sont mis à m'appeler. J'ai juré à mon père que je n'avais pas donné notre numéro de téléphone à qui que ce soit. «Je m'en fous, me répondait-il. Pourquoi les garçons t'appellent, hein? Parce que t'es une salope, c'est ça? Tu ne fais rien à l'école et tous les gars te téléphonent? Je ne te crois pas.»

Certains garçons savaient qui mon père était et ils me demandaient des autographes. Mon père avait signé son nom sur des petites cartes et me les avait données pour que je les distribue. Je devenais de plus en plus populaire et beaucoup de garçons me donnaient des coups de fil. Des garçons que je ne connaissais pas. Mon père me demandait toujours ce qu'ils voulaient. Je ne savais pas quoi répondre. Lorsque je raccrochais, il me battait.

Cette histoire avec Michael et mes autres camarades de classe prenait d'hallucinantes proportions. Mon père en faisait une fixation. Anne Marie m'avait déjà demandé si c'était vrai que Michael voulait encore m'accompagner à une prochaine danse. Je lui avais répondu par l'affirmative, mais je lui avais fait promettre de ne rien dire à notre père. Je m'étais rendu compte que ça le mettait en colère instantanément.

Mon père est allé se promener avec Anne Marie et lui a posé des questions. « Qui aime Jeannie à l'école ? » lui a-t-il demandé. « Personne, papa. » « Ne me mens pas, Anne Marie, je sais qu'il y a des garçons qui aiment Jeannie à l'école. » Alors, ma sœur lui a répondu : « Papa, tout le monde aime Jeannie à l'école. C'est la vedette. »

En revenant, il m'a demandé si c'était vrai que j'étais la vedette de l'école et que tous les gars m'aimaient. Avec conviction, je lui ai dit que ce n'était pas le cas. « Menteuse, ta sœur vient de me dire que c'était vrai. » Anne Marie a haussé les épaules et a marmonné des excuses.

Mon père s'est avancé et s'est jeté sur moi comme un faucon affamé sur une souris. J'ai dû baisser mon pantalon, garder les mains dans mon dos et, comme toute les fois où il m'a fouettée avec sa corde à danser, nous avons compté jusqu'à dix.

La situation empirait à la maison, il buvait encore plus souvent qu'avant.

Il y a eu une autre danse à l'école et Michael m'a invitée à nouveau. J'ai demandé la permission à mon père, mais il a refusé catégoriquement.

Le pauvre Michael devait être déstabilisé par mes réactions.

Il a fallu que je coupe tous les ponts avec Michael quand Anne Marie m'a raconté ce que notre père lui avait dit : si je continuais à parler à Michael, il allait me raser le pubis et obliger Anne Marie à donner le rasoir et les poils à Michael. Je savais mon père capable de le faire et il l'a effectivement fait : il a rasé mon pubis. J'étais humiliée. J'étais une putain et c'est ce qu'on faisait aux putains pour les punir : on les rabaissait.

Chaque fois que mon père voulait aller magasiner, je devais l'accompagner parce qu'il ne savait pas se servir d'une carte de guichet automatique.

Mon père nous a amenées, ma sœur et moi, dans un centre d'achats. Il n'arrêtait pas de poser plein de questions à Anne Marie, des questions en rapport avec ce qui se passait à l'école avec moi. « Qui aime Jeannie à l'école ? Je veux des noms. Qu'est-ce que les gens disent de Jeannie ? » Quand Anne Marie ne répondait pas à ses questions, il haussait le ton.

Puis il lui a demandé si elle avait fait ce qu'il lui avait dit de faire avec le rasoir et les poils. Ma sœur lui a répondu par la négative. « Tu dois faire ce que je te dis de faire, tu comprends ? » lui a crié mon père avant de lui donner une gifle, toujours en marchant, en plein centre d'achats. Le bruit de sa main sur le visage de ma sœur a résonné à un point tel que les gens se sont arrêtés pour nous regarder.

La situation devenait de plus en plus pénible. Mon père était passé aux alcools forts (il pouvait boire une grosse bouteille en une heure) et l'argent se faisait rare. Tellement rare que l'Église devait nous venir en aide pour nous nourrir.

J'en voulais beaucoup à grand-père Dave d'avoir fait de mon père un animal. Le seul mode qu'il connaissait était celui de la violence. Il n'avait aucune résistance à la frustration. Dès que quelque chose n'allait pas comme il voulait, il frappait.

Dave père a élevé ses fils dans la compétition, il transformait tout en concours. Pour les stimuler, il les insultait, les battait et les harcelait. Mon père était le lamentable résultat de l'éducation que son père lui avait donnée.

Mes deux jeunes frères (nés en 1991 et en 1992) ont aussi subi les attaques de mon père. La manière dont il les a traités ressemble peut-être au comportement que Dave père a eu avec ses fils.

Je me rappelle le cas de mon petit frère Dave. À deux ans, il avait un problème d'élocution parce que mon père le rendait nerveux. Ce dernier était d'une sévérité extrême avec lui. Quand le petit Dave a commencé à marcher, il le traitait de « tapette » et de « moumoune » parce qu'il titubait. Il lui disait d'arrêter de se cacher dans les jupes de sa mère ; Dave avait une peur bleue de lui. Quand il en a eu assez, mon père lui a enfilé une robe, l'a montré à ses amis et n'a pas arrêté de le traiter de « fif ». C'était la manière d'éduquer un enfant, selon lui.

Nous avons souvent déménagé parce que nous devions fuir. Mon père avait toujours des problèmes. Rien n'était jamais planifié, nous ne partions donc qu'avec quelques objets essentiels. Dès que nous mettions les pieds dans une nouvelle maison, nous devions tout racheter. Une fois, le déménagement a eu lieu à trois heures du matin et il faisait si froid dehors que respirer me donnait mal aux bronches.

Quand mon père est sorti de prison pour la énième fois, en 1994, nous avons déménagé dans le quartier Sainte-Dorothée, à Laval. La maison était jolie, le quartier aussi, mais je garde de très mauvais souvenirs de cet endroit.

Un jour, j'ai rappelé à ma sœur qu'elle devait faire la vaisselle. Elle m'a dit « Ouais, ouais, ouais... », mais elle ne l'a pas faite et s'est endormie. C'était un soir de semaine, nous avions de l'école le lendemain et nos parents étaient allés au bingo à la « Récréathèque ». Ce que nous ne savions pas, c'était que mon père avait beaucoup bu ce soir là. Nous l'avons entendu dire des choses gentilles à ma mère, alors nous avons d'abord cru qu'il était de bonne humeur. Mais soudain, nous l'avons entendu s'exclamer : « Les petites pétasses n'ont pas fait la vaisselle ! » Ma mère tentait de le calmer : « Dave, laisse-les tranquilles ! Elles ont de l'école demain. » J'étais très nerveuse et je n'arrivais pas à croire qu'Anne Marie avait pu oublier de faire la vaisselle comme elle était supposée. Nous allions être punies, c'était certain ! Je chuchotais à Anne Marie de se lever, mais elle dormait profondément. Je me suis levée et j'ai dis à papa qu'Anne Marie avait oublié de faire la vaisselle, qu'elle s'était endormie, mais que ce n'était pas grave et que j'allais la faire moi-même immédiatement. Au lieu de m'écouter, il s'est précipité vers Anne Marie et l'a ramenée en la tenant par le nez, et il serrait très fort. Elle était tout surprise et effrayée, et son nez commençait à saigner. Mon père nous a servi des « gauches » et des « droites » cette nuit-là, surtout à moi, sans doute parce que j'étais la plus âgée et que j'aurais dû voir à empêcher l'oubli de ma sœur. Le jour suivant, à l'école, nous avions des yeux au beurre noir. Certains nous posaient des questions, d'autres non. Quand on nous le demandait, ma sœur et moi répondions que nous nous étions fait cela en nous battant elle et moi la veille… À cette réponse, les autres éclataient de rire et nous riions aussi, en retenant nos larmes.

Ma mère travaillait comme serveuse dans deux restaurants grecs et elle n'était jamais à la maison. La situation financière de la famille ne s'était pas du tout améliorée. Ma mère devait faire vivre quatre enfants et un mari qui buvait de l'alcool comme de l'eau.

Anne Marie avait des problèmes à l'école. Plus l'année scolaire avançait, plus son comportement empirait. Une de ses enseignantes avait des tics nerveux et Anne Marie lui a fait vivre l'enfer sur terre. Elle ne l'écoutait jamais et, quand la prof parlait, elle l'imitait grossièrement, ce qui faisait rire tous les autres élèves. Elle lui a déjà lancé un compas, ça lui a valu une suspension. Chaque jour, elle se retrouvait chez le directeur. Il ne savait plus quoi faire avec elle. C'était un cas désespéré, aucune des punitions qu'on lui imposait ne l'atteignait. Il faut dire qu'avec ce que mon père lui faisait subir à la maison, l'école, c'était du gâteau.

Monsieur Barrette, un des professeurs de ma sœur, m'a déjà fait part de son embarras: ma sœur et moi étions très différentes, comme si nous étions issues de familles différentes. Je me comportais bien à l'école alors qu'il y avait des problèmes tous les jours avec ma sœur. Il tentait d'aider Anne Marie, je le voyais bien, mais j'avais si peur de mon père que je n'avais pas le courage de lui dire à quel point la situation était infernale à la maison.

Je n'avais aucune relation avec ma mère. Je ne la connaissais tout simplement pas. Elle partait très tôt le matin et ne revenait que très tard dans la soirée. Toute la famille comptait sur elle pour survivre. Elle était la seule source de revenus.

Quand elle avait des moments libres, ce qui était rare, elle les passait à jouer au bingo.

Elle était toujours à bout de nerfs, il n'y avait pas moyen de lui parler. Mon père était toujours sur son dos. Il lui disait de s'ôter de son chemin, il la traitait de «dégueulasse», d'«affreuse», de « sale Italienne », de « puante » et de « trou *slack* » (il faisait référence au fait qu'elle avait eu quatre enfants). Il lui ordonnait de sortir de la pièce parce qu'il ne pouvait plus respirer.

Je nettoyais la maison, je m'occupais des deux garçons, je cuisinais ; je trouvais ça très difficile. Je devais, en plus, aller à l'école. J'étais toujours fatiguée.

Anne Marie

Dès le premier jour d'école, j'ai détesté ça. Je me chamaillais toujours avec tout le monde et j'étais incapable de me concentrer.

J'ai coulé ma deuxième année. Personne ne jouait avec moi. Même l'enseignante, avec ses fausses gentillesses, n'arrivait pas à m'amadouer.

Mon père était beaucoup plus dur avec moi qu'avec ma sœur. J'étais le mouton noir. Je ne faisais jamais les choses comme elles devaient être faites, et la seule méthode que mon père connaissait pour remédier à la situation était celle des poings.

Je suis arrivée un jour en classe avec les jambes complètement couvertes de bleus. Mon père, la veille, m'avait battue avec un fil électrique parce que j'avais avalé une bille. Mon professeur a remarqué que j'avais de la difficulté à marcher, il m'a posé des questions, j'ai tout fait pour ne pas dire la vérité : je ne voulais pas être battue parce que je l'avais dénoncé.

Je ne pourrais dire le nombre de fois où mon père m'a battue. Cinq cents fois, mille fois, qui sait ? Il me disait toujours que je le méritais.

Après, je me retrouvais confinée dans ma chambre pendant des jours et des nuits. Et quand la punition était terminée, il recommençait à me battre parce que j'avais été insolente avec lui ou parce que je m'étais disputée avec ma sœur. C'était sans fin, j'étais toujours jetée sur les murs, rouée de coups de pied et de coups de poing. Même quand je pensais avoir fait un bon coup, mon père trouvait une raison pour me battre.

Les seuls moments où j'étais sûre de ne pas être battue, c'était le soir, lorsqu'il sortait pour boire. Mais quand il revenait, s'il remarquait que je n'avais pas rangé un jouet, c'était pire. Il me réveillait pour me corriger. Je préférais faire des cauchemars, c'était plus agréable que la réalité.

Nous avons déménagé à Pierrefonds. C'est à cet endroit que j'ai refait ma deuxième année. La maison était géniale, elle était grande et il y avait une piscine.

C'est pendant cette année scolaire que mon père a fait une fixation sur Michael, un ami de ma sœur. Ce garçon était très gentil et il ne se passait absolument rien entre eux; c'était un innocent et platonique amour de jeunesse.

Cette histoire de danse a pris une tournure bizarre. Mon père m'a dit qu'il ne voulait plus que Jeannie aille à la danse. Si Michael continuait à insister, il raserait le pubis de ma sœur et il m'obligerait à donner le rasoir et les poils à Michael. En prime, il m'ordonnait de lui expliquer d'où ils provenaient.

Je n'ai jamais rien donné à Michael. C'était trop gênant.

C'est aussi durant cette année scolaire que mon père s'est fait arrêter pour le fameux vol qu'il a commis avec mon oncle Matthew dans un Dunkin' Donuts. À l'école, tout le monde savait qui était mon père, j'ai donc eu droit à des moqueries à la tonne. Pendant les récréations, des enfants qui n'étaient pas dans ma classe me montraient du doigt et riaient. Un de ceux-là s'appelait Johnny. Quand il a tendu le doigt vers moi, je l'ai pris et je l'ai plié en deux vers le haut. Il s'est mis à hurler et, dès lors, les autres ont arrêté de me ridiculiser. Mais je suis allée faire un tour au bureau du directeur.

Un jour, madame Crisp, ma prof, a annoncé à toute la classe que mon père avait encore une fois des problèmes avec la justice. J'ai été mise au courant en même temps que les autres élèves. Je me suis sentie humiliée. Madame Crisp n'en ratait pas une. Dès qu'elle le pouvait, elle me rabaissait.

Après l'école, j'ai couru à la maison. J'ai demandé à ma mère si c'était vrai que mon père avait été arrêté une autre fois. «Où as-tu entendu ça?» m'a-t-elle demandé. Je lui ai répondu que ma prof l'avait dit à tout le monde. Elle m'a dit d'aller dehors. Tout en faisant semblant de jouer, je devais l'avertir si je voyais une voiture de police se diriger vers la maison: mon père s'y cachait.

Le lendemain, nous avons tout laissé dans la maison et nous ne sommes partis qu'avec nos vêtements en direction de Cornwall. Mes jouets, mes meubles, mon environnement, j'ai tout laissé là-bas. Nous devions partir vite. Mon père était un fugitif.

Puis, quelque temps plus tard, en revenant de l'école, j'ai vu des voitures de police en face de notre nouvelle demeure. On avait retrouvé mon père.

Je détestais les policiers. Dans l'histoire, c'étaient eux, les méchants. Je ne réalisais pas que mon père avait commis des crimes, je n'étais aucunement objective. C'étaient les policiers qui étaient dans le tort parce qu'ils amenaient mon père avec eux. Nous étions en 1993. Le jour de mon neuvième anniversaire, mon père m'a appelée de prison pour me chanter *Happy Birthday*. Tout le long, j'ai pleuré. Ironiquement, pour mes anniversaires, il n'était jamais là et je n'avais jamais de cadeau parce que mes parents étaient fauchés. Nous étions plus pauvres que pauvres.

Quand mon père est sorti de prison, nous étions ses «choses» et il ne voulait pas nous partager avec le reste du monde. Il était de plus en plus violent et il frappait de plus en plus fort et pour n'importe quelle raison. Il était saoul de façon permanente.

Ma mère travaillait tous les jours de la semaine, de douze à quinze heures par jour, pour arriver à boucler le budget. Elle avait quatre ou cinq emplois en même temps. Mon père ne boxait plus, il faisait des aller-retour constants en prison. Il n'y avait rien à manger dans la maison; c'est un ami de mon père, Johnny Peluso, qui nous apportait de la nourriture. Mon père lui disait que c'était une situation temporaire et qu'il allait le rembourser dès qu'il allait avoir de l'argent.

Mon père était sans pitié avec moi mais, des fois, il l'était aussi avec Jeannie.

Un soir, il est entré saoul à la maison. Jeannie et moi regardions un film à la télévision, nous ne l'attendions pas si tôt.

Il est allé dans la cuisine. Lorsqu'il s'est aperçu que la vaisselle du souper n'avait pas été lavée, il s'en est pris à Jeannie. Il l'a secouée comme une poupée de chiffon et lui a donné des coups de poing avec une vigueur incroyable. Elle a été sévèrement battue.

Plus je vieillissais, plus il était difficile pour moi de voir ma mère et ma sœur se faire battre. Plus jeune, lorsque mon père était violent avec nous, je n'anticipais pas. Il nous battait et c'était terminé. Avec les années, j'ai tenté de trouver une logique à son comportement. Il n'y en avait tout simplement pas. Il pouvait se déchaîner parce qu'il ne faisait pas beau dehors. Nous n'avions aucun contrôle. Il nous possédait totalement.

Mon père me disait que j'étais laide et grosse comme ma mère. Il me traitait de putain et de salope.

Mes frères aussi avaient leur part de sévices. En plus de les insulter, il les jetait dehors, en pyjama, quand ils le réveillaient trop tôt, hiver comme été.

Jeannie et moi savions que mon père avait des maîtresses. Devant nous, elles lui faisaient des fellations dans le salon. Il y avait des magazines pornographiques partout dans la maison, à la vue de tous. Des boîtes de films également.

La nuit, quand les bars fermaient, il réveillait toute la maisonnée parce qu'il écoutait de la musique à tue-tête. Ou il brisait tout sur son passage, des verres, des chaises ou nous, ses enfants. Le seul fait de se trouver devant lui était une raison suffisante pour se faire frapper.

Nous avions une chienne de race pitbull, son nom était Luna. C'était la bête la plus gentille que la terre ait jamais portée. Elle avait la tête toute blanche et était très affectueuse. Quand nous nous faisions frapper, nous l'entendions pleurnicher, comme si elle savait ce qui se passait. Évidemment, parce que nous l'aimions, notre père se faisait un plaisir de la frapper devant nous.

Il y avait des bouteilles de Labatt 50 partout dans la maison. Tout puait l'alcool.

Un soir, ma sœur parlait au téléphone avec une de ses amies et mon père a manqué l'appel d'une de ses maîtresses. Je dois préciser qu'il avait une obsession pour le téléphone. Il ne voulait manquer aucun appel et, lorsqu'il était absent et que nous répondions à un appel, nous ne pouvions pas demander de rappeler, il fallait prendre le message et le lui transmettre dès qu'il mettait les pieds dans la maison.

Bref, notre père a demandé à Jeannie si sa blonde avait appelé dans la soirée, elle a répondu que oui, qu'elle lui avait parlé. Il m'a posé la même question et j'ai aussi menti pour protéger ma sœur. Un peu plus tard, la blonde s'est plainte à notre père que la ligne était occupée lorsqu'elle avait essayé de le joindre et lui a dit qu'elle n'avait pas parlé à Jeannie (et ce, même si elle savait comment mon père réagissait quand il se mettait en colère).

À trois heures du matin, il nous a réveillées toutes les deux et nous a battues comme il ne l'avait jamais fait auparavant.

Il m'a tiré les cheveux, m'a donné des coups de poing et des coups de pied, même si je m'étais déjà écroulée sur le sol. Je voulais mourir.

Le lendemain, je me suis quand même rendue à l'école. J'étais très amochée: j'avais des ecchymoses partout, j'avais l'impression que ma tête allait exploser et j'avais des mèches de cheveux qui tombaient. Quand je suis arrivée dans la cour, les élèves ont formé un cercle autour de moi et ils m'ont tous demandé ce qui s'était passé. Je leur ai expliqué que j'avais eu une dispute avec ma sœur. Ça a satisfait leur curiosité.

Mes explications n'ont pas convaincu tout le monde. Monsieur Barrette (une rumeur voulait que ce ne soit pas son vrai nom parce qu'il avait dû recourir à une nouvelle identité) ne m'a pas crue. C'était un de mes professeurs et, fait exceptionnel, je l'aimais.

Il voyait bien que j'avais des problèmes à la maison. Il me demandait toujours comment j'allais, si j'avais besoin d'aide. Je lui disais toujours que tout allait bien parce que je craignais la réaction de mon père si je le dénonçais. Ses questions me rassuraient, comme si je n'étais plus seule. J'aimerais bien revoir cet homme un jour.

À deux ou trois heures du matin, même si j'avais école le lendemain, mon père me réveillait et me demandait d'aller lui chercher des cigarettes ou de la bière au dépanneur. Le commis savait qui j'étais, il me donnait tout ce que je voulais, même s'il n'avait pas le droit de vendre de l'alcool après vingt-trois heures. Je n'avais jamais d'argent, mais il me faisait crédit parce que c'était pour le « fameux » Dave Hilton junior qui lui avait fait l'honneur de lui donner un autographe un jour.

En revenant, je déposais le tout sur la table basse du salon et retournais me coucher. Si je m'étais trompée de marque de bière ou de cigarettes, mon père me réveillait une autre fois pour que j'y retourne. Il ne manquait pas de me donner une claque derrière la tête et de m'insulter.

J'étais toujours fatiguée. Je ne dormais que deux ou trois heures par nuit. Même si je me couchais à vingt et une heures, je ne m'endormais pas avant une heure du matin parce que j'étais anxieuse. Je ne savais jamais quand mon père allait me réveiller et de quelle manière. Je priais pour qu'il n'arrive pas saoul en plein milieu de la nuit et pour qu'il me laisse dormir.

Jeannie et moi étions des esclaves pour lui. Nous devions nettoyer la maison, laver la vaisselle et les vêtements, nous occuper de nos petits frères et satisfaire tous ses caprices.

Lorsqu'il avait des amis à la maison, ma sœur ou moi s'occupait uniquement de les surveiller parce que mon père craignait que l'un d'eux ne décide de l'empoisonner. Quand il avait dix-neuf ans, une barmaid avec qui il s'était disputé avait versé une substance dans sa bière, substance qui l'avait rendu très malade. Depuis, il ne faisait confiance à personne. Il avait probablement raison : la plupart de ses « amis » étaient des bandits et des salauds qui ne pensaient qu'au sexe et à l'argent vite fait.

Ironiquement, mon père insultait toujours les Italiens, même si la plupart de ses copains étaient de cette origine.

Mon nom est devenu quelque chose qui me donnait mal au cœur. Sa voix résonnait dans ma tête : « Anne Marie ! Où sont mes bas ? », « Anne Marie ! As-tu lavé la vaisselle ? », « Anne Marie ! Espèce de sale pute d'Italienne, viens ici ! » Je le détestais tellement, ce nom !

Je détestais ma mère aussi. Elle n'était jamais à la maison et ne semblait pas du tout se préoccuper de ce qui se passait quand elle n'était pas là. Elle était aussi impuissante que nous parce que notre père la battait plus souvent qu'à son tour. Elle en avait peur. Elle travaillait toujours. Elle n'avait jamais de journée de congé ou presque ; quand elle revenait à la maison, elle était morte de fatigue et mon père la harcelait. Quand il y avait une discussion, cela se terminait toujours par des coups de poing.

Mon père me disait qu'il fallait que je sois sage, que je devais absolument conserver ma virginité jusqu'à mon mariage. Aucun gars n'avait le droit de me toucher : s'il essayait, je devais me défendre. Une fille vierge avant le mariage est une bonne fille et il me donnait l'exemple de ma mère. S'il l'avait sue « impure », jamais il ne l'aurait épousée.

Ça, c'était son côté traditionaliste qui parlait quand il n'était pas trop saoul ou devant des gens qu'il estimait (ses parents, par exemple). Devant ses amis, c'était autre chose. Il utilisait des mots vulgaires, il me disait que je devais être aimable, sinon j'allais être un jour « baisée » devant ses amis. Il crachait au visage de ma mère ; ça faisait rire les invités. Il la battait et personne n'osait intervenir.

Mon père couchait avec plein de filles et il se foutait que ma mère le sache.

Il nous traitait comme des merdes. Quand il voulait nous insulter, il nous disait que nous agissions comme des « wops »[1].

En quatrième année du primaire, j'ai arrêté l'école. J'avais onze ans et j'allais de classes « spéciales » en classes « particulières » sans signe d'évolution. Je restais à la maison pour faire le ménage, cuisiner, espionner les « amis » de mon père pour qu'ils ne l'empoisonnent pas et satisfaire tous ses caprices : « Hé, Anne Marie, où sont mes bas ? Anne Marie, tu m'as entendu, petite salope ? Où t'as mis mes bas ? »

Je souffrais de complexes parce que mon père ne cessait de me dire que j'étais stupide, que j'étais une *fucking idiot* et une nulle. À force de l'entendre, j'ai commencé à le croire. Si je me faisais couper les cheveux, il me disait que j'étais laide.

Mon père avait une haine viscérale pour les Italiens, mais, pour une raison que je m'expliquais bien mal, ses seuls amis

---

1. Wops : terme anglais péjoratif pour désigner les Italiens.

étaient d'origine italienne. Les vrais durs ne le fréquentaient pas parce qu'ils se rendaient sûrement compte qu'il était un petit truand sans envergure. Ses «amis» étaient tous des demeurés aux dents pourries sans foi ni loi qui commettaient des crimes mineurs.

Il affirmait que toutes les filles le voulaient et qu'aucune ne pouvait lui résister. Avant de sortir, il pouvait passer une demi-heure devant le miroir à se peigner. Il avait une collection d'une centaine de brosses à cheveux et malheur à celui ou celle qui y touchait!

Mes nuits étaient courtes. J'avais toujours peur qu'il me réveille en arrivant et qu'il me batte parce que son équipe de hockey préférée avait perdu ou parce que, trop saoul, il avait égaré les clefs de son automobile.

Cependant, lorsque mes oncles étaient là, il était relativement gentil avec moi. Alex savait que mon père était toujours sur mon dos. Il m'a un jour appelée et m'a dit que même si mon père déclarait que j'étais une garce, je ne devais pas le croire et que chaque fois qu'il me battait, il voulait lui rendre tous ses coups. Mais il avait peur de lui. Tout le monde le craignait. Mon père est entré dans la maison un après-midi. Son t-shirt était tout taché de sang frais. Il a levé les mains dans les airs et a crié: «Qui est le véritable champion du monde, hein? Dites-moi qui est LE champion du monde?» Il venait de se battre, pour une obscure raison, avec oncle Matthew. D'un coup de poing, il lui avait défoncé le visage. C'était tellement injuste. Matthew était adorable. Il n'y avait pas une once de malice en lui.

LES AGRESSIONS
SEXUELLES SELON...

Anne Marie

Ma puberté est arrivée sur le tard, comme si mon corps refusait d'évoluer. Honnêtement, je n'étais pas pressée de devenir femme. J'étais rongée d'angoisse.

C'est dans notre maison de Chomedey que mon père a, pour la première fois, abusé de moi sexuellement. C'est un souvenir qui est encore très vif en moi, et quand je me le repasse dans ma tête, j'ai mal.

C'était le soir et j'avais onze ans. Je jouais aux cartes — au vingt et un — avec ma sœur, ma mère et mon père. Tout à coup, mon père m'a regardée et m'a dit que j'avais de belles lèvres. C'était un commentaire hors contexte et déplacé.

Plus tard, je me suis endormie dans la chambre de mes parents avec Jeannie. Ma mère dormait dans ma chambre parce que mon père ne la voulait pas dans son lit. Elle lui était soumise.

Mon père passait ses nuits au téléphone à faire des «rencontres» avec des inconnues. Les factures de Bell étaient effarantes!

Dans la nuit, un bruit m'a réveillée. Je croyais que ma sœur était à mes côtés, mais ce n'était pas le cas: elle était retournée dans sa chambre. J'ai entrouvert les yeux et j'ai vu mon père approcher son pénis de mon visage. Son sexe était glissant; je crois qu'il venait d'éjaculer. Il l'a posé sur mes lèvres et a commencé à les forcer pour le faire entrer dans ma bouche. Je ne savais pas ce qui se passait, mais je sentais que ce n'était pas normal. J'ai commencé à pleurer. Pour que je me taise, il a fait : «Shhh!» Il a ouvert ma bouche et je lui ai fait ma première pipe. Ce qui restait de la nuit, je l'ai passé à pleurer. C'était tellement étrange… surréaliste. Je n'étais même pas sûre si c'était un cauchemar ou la réalité.

Malheureusement, c'était la réalité parce que, par la suite, il m'a obligée à le sucer tous les jours.

Après ce premier épisode d'agression sexuelle, le matin, il m'a dit que je ressemblais de plus en plus à une femme. Ce n'était pas vrai, j'étais encore une petite fille.

Il jouait beaucoup avec nos émotions, c'était un expert en manipulation. Chaque fois qu'il m'agressait, il me disait que c'était parce qu'il m'aimait et que c'était pour mon bien.

Souvent, il nous a chassées, ma sœur et moi, de la maison parce qu'il recevait des «invités spéciaux». C'étaient des prostituées. Quand les cinémas ou les centres d'achats fermaient et que nous n'avions plus d'endroit où aller, nous devions l'appeler pour lui demander si nous pouvions rentrer à la maison. Des fois c'était oui, d'autres fois c'était : «Je n'ai pas encore fini.» Il couchait avec plein de femmes, j'aurais pu attraper le sida ou d'autres maladies transmises sexuellement. Il était dépendant du sexe, il pouvait éjaculer cinq fois par jour avec cinq femmes différentes pendant que ma mère travaillait comme une folle pour payer les comptes.

Un jour, il est parti avec ma sœur au chevet de mon arrière-grand-mère Mary qui était malade, à Guelph, en Ontario. Je m'occupais des garçons et de l'entretien de la maison parce que ma mère, pour arriver à nous nourrir, devait travailler quinze heures par jour.

Il a fallu que nous quittions la maison de Chomedey pour aller rejoindre mon père et ma sœur en Ontario. La seule chose que je me rappelle, pour me situer dans le temps, c'est que la princesse Diana[2] venait de mourir. Nous avons tout laissé derrière nous, n'emportant que nos vêtements.

---

2. Lady Diana est décédée le 31 août 1997.

Durant son absence, je m'étais convaincue qu'il n'allait pas recommencer. C'était une manière pour moi de survivre. Pendant que nous étions sur la route, je me disais que ce n'était qu'un écart de conduite passager, qu'il ne pouvait plus me demander de lui faire ces choses dégradantes parce qu'il était mon père.

À Guelph, en voyant ma sœur, j'ai eu un choc. Elle était devenue maigre, anorexique. J'ai compris que mon père l'empêchait de sortir et qu'il n'y avait jamais de nourriture dans la maison. Elle préférait souffrir de la faim que de souffrir des poings de mon père.

Ça n'a pas pris de temps avant que mon père reprenne ses mauvaises habitudes. J'ai dû lui faire des fellations à de nombreuses reprises. Je dormais avec mon père et ma mère. La télévision était continuellement allumée pour laisser un bruit de fond. Ma sœur était à l'autre bout de la roulotte. Dès que mon père constatait que ma mère s'était endormie, ce qui ne prenait jamais de temps parce qu'elle était épuisée, il prenait ma tête et la poussait vers son sexe. Il me montrait comment faire et quoi ne pas faire. Après, je pouvais dormir. Je ne m'endormais jamais avant le chant des premiers oiseaux.

À cette époque, je ne savais pas que ma sœur était aussi une victime, mais j'avais quand même quelques doutes. Il faisait des allusions au fait qu'il aimerait un jour se faire sucer par nous deux en même temps. Parce que je n'étais jamais laissée seule avec ma sœur et que mon père voulait toujours savoir ce qui se disait entre nous, nous ne pouvions jamais parler de ce que nous vivions. Et ce n'est pas le genre de sujet qu'on aborde comme ça, sans préliminaires. C'était tabou et la loi du silence régnait.

Mon père avait de sérieux problèmes d'argent et il arrivait à l'occasion que de gros messieurs frappent à la porte et le demandent. Il leur disait qu'il allait les rembourser dès qu'il allait décrocher un contrat. Tout le monde avait peur de lui parce que c'était un boxeur et qu'il avait de soi-disant « amis » très haut placés qui le protégeaient. Dès qu'il avait un peu d'argent, il remboursait ses dettes et faisait la fête.

Une des maîtresses officielles de mon père lui coûtait également cher. Je la connaissais depuis longtemps, elle nous gardait, ma sœur et moi, lorsque nous étions petites filles. Elle aurait bien voulu être notre mère, mais elle forçait trop la note. Son « amour » était artificiel. Elle aimait mon père et aurait tout fait pour briser son couple. Elle était mesquine : elle a déjà enregistré des conversations téléphoniques de ma mère et les a fait entendre à mon père pour que ma mère se fasse battre. Elle aussi passait parfois un mauvais quart d'heure : mon père lui a brisé le nez à plusieurs reprises et il l'a déjà forcée à manger du poulet cru en état de putréfaction.

Quand je le vois à la télévision, en prison, assis à une table avec une bible à ses côtés, j'ai le goût de hurler que c'est de la pure foutaise. Mon père est un déchet humain, un criminel de la pire espèce parce qu'il savait qu'il agissait mal en nous agressant. Un psychopathe n'aurait pas eu de remords, mais mon père en avait. Ses remords ne duraient pas longtemps et ne menaient jamais à rien, mais il en avait quand même. De plus, il n'était jamais saoul quand il nous violait. Il ne peut pas affirmer que ce n'était pas lui parce qu'il était dans un état second. Quand il était en état d'ébriété avancée, il s'écroulait sur son lit et s'endormait.

Une fois que je lui avais fait une fellation, il était moins méchant avec moi et il me traitait d'une façon plus humaine. Je pleurais chaque fois et il me promettait qu'il allait arrêter. Mais il mentait.

Mon père est responsable de tous les gestes qu'il a faits et il n'y a aucune circonstance atténuante qui puisse le disculper. Il est coupable sur toute la ligne.

Il fréquentait des cousins éloignés, il faisait des « affaires » avec eux. Un jour, il est entré dans la roulotte, le visage plein de sang. Ses cousins lui avaient réglé son compte. C'était incroyable ! Je croyais qu'il s'était fait frapper par un camion. Le lendemain, même si la douleur était si vive qu'il avait de la difficulté à voir et à parler, il m'a forcée à lui faire une fellation.

Même s'il faisait un froid sibérien à l'extérieur ou qu'il venait d'y avoir une averse de pluie verglaçante, mon père exigeait que j'aille à l'épicerie lui acheter des cigarettes ou de la bière. Le malheur est qu'elle se trouvait à cinq kilomètres de l'endroit où nous habitions. Je me rappelle avoir glissé sur les trottoirs et être tombée sur les mains et les genoux. Je me rappelle mes oreilles que je ne sentais plus parce qu'elles étaient gelées. Et quand j'arrivais, il n'y avait pas un mot de remerciement, juste un «t'aurais pu te dépêcher» ou, lorsqu'il voyait que j'avais glissé, un «j'espère que t'as pas brisé de bouteilles».

La situation ne s'est pas améliorée avec les cousins. Un après-midi, ils sont tous apparus devant la roulotte, les bras croisés, et ont demandé à mon père de sortir. Il n'était pas là. Ma mère les a calmés; ils voulaient le tuer. Lorsqu'il est revenu, le propriétaire du camping lui a demandé de partir le plus rapidement possible parce qu'il nuisait à la quiétude des lieux.

Une autre fois, nous avons déménagé en catastrophe. Nous avons abouti au Maple Inn, à Milton, en Ontario. Mon père continuait d'abuser de moi tous les jours. Il voulait que nous lui fassions une fellation ensemble, ma sœur et moi, mais nous avons toujours refusé. Alors, il se fâchait et nous battait en nous traitant de «plottes». La veille de Noël, il a encore essayé avec ma sœur et moi. Je l'ai repoussé et lui ai dit que je le détestais. Il m'a donné deux coups de poing: l'un au visage et l'autre au ventre. Sur ces entrefaites, ma mère est arrivée et lui a ordonné d'arrêter. Elle se demandait pour quelle raison il m'avait battue à un point où je ne pouvais plus me relever. «Qu'est-ce qui se passe, Dave? Qu'est-ce qu'elle t'a fait?» Les jours qui ont suivi, il n'a pas cessé de s'excuser.

Mon corps me faisait parfois si mal et j'en avais tellement assez de me faire battre qu'à l'occasion, je lui faisais des fellations ou je le masturbais sans rechigner.

Il me contrôlait complètement. Je n'avais pas le droit de sortir, pas le droit de me couper les cheveux ou de les peigner de la façon que je voulais, pas le droit de penser parce que, de toute façon, j'étais une «conne», une «idiote» ou une «déficiente mentale». Chaque fois que j'ouvrais la bouche, même si c'était pour dire des banalités, je ne savais jamais si j'allais avoir droit à une baffe ou à des insultes. Il me disait que j'allais finir ma vie seule, que personne ne voudrait de moi, qu'aucun homme ne voudrait m'épouser. C'était comme ça tous les jours et ça a duré des années.

S'il avait vécu plus longtemps avec nous, je suis persuadée qu'il se serait attaqué à mes frères. D'ailleurs, je crois que mon père est bisexuel. Il y a toutes sortes de rumeurs à son sujet. On dit même qu'il aurait baisé avec un homme.

Jeannie

À huit ans, ma poitrine a commencé à pousser et j'avais plus de hanches que les filles de mon âge. Les gars de ma classe me regardaient comme si j'étais une extraterrestre. Une fille de leur âge avec des seins, c'était tout un événement.

Lors de mon dixième anniversaire, mon père m'a dit que j'allais bientôt avoir mes règles. Je ne savais pas ce que c'était. Il m'a expliqué que, lorsque ça arriverait, je verrais du sang dans le fond de ma petite culotte ou j'en verrais sur le papier hygiénique quand je m'essuierais. Il m'a fait un long discours sur l'importance de cet événement. Je deviendrais une femme. Il était important que j'emploie des serviettes hygiéniques, mais pas des tampons parce que cela mettrait ma virginité en péril.

À dix ans, j'étais très populaire auprès des garçons et ça m'effrayait énormément. Je ne savais pas comment arrêter cet engouement que les gars avaient pour moi. La crainte de devenir une « salope » était omniprésente dès qu'un gars me regardait.

Cette crainte, elle venait de loin. Pour m'amuser, à trois ans, je m'étais mis du vernis sur les ongles. Toute fière, j'ai montré mon « œuvre » à mon père. Il s'est fâché : « Est-ce que tu t'es vue ? Est-ce que tu t'es vue ? T'as l'air d'une salope. Tu veux voir ce que le vernis à ongles fait faire ? Tu veux voir ? » Il a baissé son pantalon et son slip, et m'a mis les mains sur son pénis.

Il faisait une fixation sur mes seins. Il ne se passait pas une journée où il ne faisait pas un commentaire. Ma mère lui disait de me foutre la paix, mais il lui ordonnait de fermer sa gueule.

Ma mère a dû m'acheter un soutien-gorge en cachette parce qu'il ne voulait pas que j'en porte.

Un jour, alors que nous étions seuls, lui et moi, à la maison, il a relevé mon chandail et a pris des photos de ma poitrine, photos qu'il montrait à ses amis pour les faire rigoler.

Je ne réalisais pas qu'il s'agissait d'une agression sexuelle. Je le laissais faire parce que je préférais lui obéir que me faire battre.

Quand j'ai eu onze ans, il a commencé à me demander de dormir avec lui. Sous prétexte qu'il avait très froid, il passait ses mains sous mon chandail et les posait sur ma poitrine. C'était une position inconfortable et j'étais mal à l'aise, mais, pendant ce temps, il ne me frappait pas. Je pouvais dormir en paix.

Il se promenait toujours nu dans la maison et, à la blague, me disait que je devrais faire de même. Quand ses amis étaient là, c'était le festival des insultes pour les amuser.

Il avait supposément rencontré à New York des gars qui faisaient partie de la mafia irlandaise. Il le disait à tout le monde. C'était une manière pour lui de se protéger, j'imagine.

Pour moi, le matin, aller à l'école était une véritable torture. J'étais toujours exténuée, comme si je n'avais pas dormi (ce qui était souvent le cas). Mais pire encore était le retour à la maison. Je ne voulais pas y remettre les pieds, je ne savais jamais ce qui m'attendait.

Si je retourne un jour dans cette maison de la rue René-Côté à Chomedey, j'aurai l'impression de marcher dans une maison hantée. Chaque pièce contient des centaines de mauvais souvenirs que je me rappelle trop bien. En y pensant bien, je ne suis même pas certaine que j'aurais le courage d'y entrer. Il y a sûrement encore des traces de sang et de larmes sur les planchers.

Mon père avait des combats ici et là, des combats de petite envergure qu'il acceptait pour l'argent. Argent qu'il ne gardait que pour lui ou qu'il utilisait pour rembourser ses nombreuses dettes.

Un après-midi, à mon retour de l'école, mon père était étrangement doux avec moi. «Comment s'est passée ta journée?» m'a-t-il demandé. C'était la première fois qu'il s'intéressait à ce que je faisais à l'école. Je savais qu'il allait se passer quelque chose. « Bien, papa », lui ai-je répondu, sur mes gardes. « Laisse-moi te poser une question, Jeannie. As-tu déjà embrassé un garçon avec la langue ? » « Non. » « Est-ce que tu aimerais en faire l'expérience ? » « Non. » « Laisse-moi te montrer. » J'ai reculé : « Non ! » « Tu fais ce que je te dis, d'accord ? »

Je l'ai fait. Embrasser son père avec la langue est une sensation tellement étrange ! J'étais pétrifiée.

« Tu sais pourquoi les filles de ton âge préfèrent les hommes plus vieux ? Parce qu'elles aiment les gars d'expérience. » J'ai rétorqué : « Quand même, pas *si* vieux, papa. » « Tu préfères que ce soit un voyou qui t'embrasse et te baise et qu'il te laisse là et qu'il raconte à tous ses amis que t'es une salope ? C'est ça ? »

Il n'y avait aucune discussion possible avec lui. C'était perdu d'avance.

Après, chaque matin, il y avait quelque chose de nouveau. Il me faisait « pratiquer » ce que j'avais appris la veille. Il me prodiguait des conseils : « Si tu bouges la langue de cette manière, tu vas ressentir des papillons dans ton estomac et le bas de ton pyjama va se mouiller. Es-tu mouillée ? » Il passait sa main sur ma vulve pour vérifier.

Il me montrait comment son corps réagissait à nos contacts physiques. Il sortait son sexe de son pantalon et m'indiquait qu'il y avait des fluides qui en sortaient parce qu'il était excité.

J'ignorais totalement le comportement que je devais adopter. Je savais que la situation n'était pas normale, d'autant plus que c'était avec mon père. Qu'est-ce que je devais faire ?

Lorsqu'il avait supposément froid, il me demandait d'aller le rejoindre dans le lit et nous dormions en cuillères. Je pouvais sentir son pénis en érection dans le bas de mon dos. Ça me dégoûtait.

Un matin, alors que ma mère préparait le petit-déjeuner, mon père m'a demandé si je savais ce qu'était le sperme.

Non, à douze ans, je ne savais pas ce qu'était le sperme. « Et "venir", tu sais ce que ça veut dire ? » Ça aussi, je l'ignorais. Il m'a fourni des explications : lorsqu'un homme devient très excité sexuellement, il y a du sperme qui sort de son pénis. Et le

sperme peut être projeté très loin. « Tu veux que je te montre ? »
m'a-t-il demandé tout en m'indiquant d'aller fermer la porte.

Il a pris ma main et a commencé à lui faire faire des va-et-
vient sur son pénis. Il me félicitait de ma dextérité. « Tu vois
comment tu le fais ? On ne m'a jamais branlé comme ça. » Il
m'a ordonné d'aller me nettoyer les mains une fois le travail
terminé.

J'étais confuse. Où ça allait s'arrêter ? Je savais que c'était
mal mais, pour une des premières fois de ma vie, il était plutôt
gentil avec moi et ne me battait plus.

Chaque matin, je le masturbais pendant qu'il touchait mes
seins. C'était un rituel auquel il ne dérogeait pas.

La nuit, il revenait saoul, cigarette au bec, et mettait la
radio à tue-tête. « Hé, les filles, qu'est-ce qui se passe ? Pourquoi
vous me regardez comme ça ? » criait-il. Nous lui faisions alors
remarquer que nous devions nous lever dans deux heures pour
aller à l'école. Il tournait les talons et s'esclaffait.

Anne Marie était une fille qui dormait profondément, il
était toujours difficile de la réveiller. Elle avait beaucoup plus de
difficultés que moi à vivre avec le manque constant de sommeil.
Pour qu'elle se lève, nous devions la brasser un peu et crier son
nom à plusieurs reprises. Pendant la demi-heure qui suivait,
elle ressemblait à un zombi, elle avait les yeux mi-ouverts et
n'écoutait pas quand on lui parlait.

« Hé ! réveille ! lui hurlait mon père aux oreilles. Est-ce que
tu prends de la drogue ? Dis-moi, est-ce que tu te drogues ?
Non ? À mon avis, t'as l'air d'une putain de droguée. »

J'ai remarqué que moins il était violent avec moi, plus il
l'était avec Anne Marie. Il ne laissait rien passer et tout était
prétexte à l'insulter et à la battre. La raison était simple : je
le masturbais tous les matins pendant que ma sœur faisait la
vaisselle ; dans sa tête, j'étais passée de simple esclave à esclave
sexuelle. Ça n'a pas été long avant que nous passions à quelque
chose de plus « sophistiqué » que la masturbation.

Ma mère aussi y goûtait. Toutes les fois qu'elle passait dans
le champ de vision de mon père, c'était l'avalanche d'insultes.
Selon ses dires, elle était « puante » et « laide » et il lui ordonnait
de déguerpir pour le laisser respirer. Dans ma tête, je me disais :

«Non, maman, ne t'en va pas! Ne me laisse pas seule avec *lui*! Pitié!»

J'étais devenue, par la force des choses, la mère de mes deux petits frères et la servante de mon père. Je n'en retirais aucune fierté.

Mes pauvres frères... Ils étaient laissés à eux-mêmes. Je n'avais jamais le temps de m'en occuper et, surtout, je n'en avais pas le goût. J'avais douze ans, j'étais encore une petite fille, même si j'avais un corps de femme. Leurs besoins m'indifféraient. Je leur donnais leur bain, je les nourrissais, mais mes interventions de «mère» se maintenaient au «strict minimum». Je ne jouais jamais avec eux, il y avait toujours du ménage à faire ou du lavage. Je me dis que j'ai fait ce que j'ai pu avec les moyens que j'avais. Aujourd'hui, ma mère prend très bien soin d'eux.

De la pornographie, il y en avait partout. Quand nous voulions utiliser le magnétoscope pour regarder des films, il y avait toujours une cassette de film porno à l'intérieur. Alors que je jouais à la chasse au trésor avec ma sœur, lorsque nous habitions à Rigaud, je me souviens d'avoir trouvé plein de magazines pour adultes sous le matelas de mon père. C'était le «bon vieux temps» où il prenait soin de cacher son vice.

À treize ans, j'ai dû arrêter d'aller à l'école parce que mon père ne voulait plus que j'y aille. Le directeur appelait, mon père affirmait préférer me garder à la maison. «Pas de problème, monsieur Hilton», lui répondait-il.

Mon père passait ses journées sur Télématch, un réseau téléphonique formé d'un système de boîtes vocales et de conversations en direct pour célibataires et personnes en manque de sexe. Je me rappelle avoir entendu, en décrochant par inadvertance le téléphone, des filles se décrire: «Salut, mon nom est Sabrina, j'ai les cheveux blonds et les yeux bleus...» ou: «Salut, je suis Mélanie et je n'aime pas les hommes qui ont beaucoup de poils...» Chaque mois, les factures de téléphone étaient astronomiques. Je pensais: il a une femme, des enfants, pourquoi fréquente-t-il ce genre de réseau? Il m'écœurait.

Il y avait aussi la maîtresse la plus assidue de mon père, C. Il aurait pu s'en contenter. Parlant de C., ça évoque un souvenir en moi : à cinq ans, je l'ai surprise dans la salle de bains alors qu'elle faisait une fellation à mon père. Ce dernier m'a crié de m'en aller. Je suis allée tout raconter à ma mère qui a demandé des explications à mon père. « C'est une menteuse, a-t-il hurlé pour se défendre. Jeannie est une sale menteuse. » Il m'a regardée : « Dis à ta mère que tu es une putain de menteuse, allez, dis-le. » Terrorisée, je n'ai eu d'autre choix que d'affirmer avoir tout inventé.

Il contrôlait absolument tout ce qui tournait autour de lui. Quand je posais une question à ma mère, il me demandait toujours de la répéter et m'ordonnait de ne plus lui parler. Ma mère était complètement détruite, elle évoluait dans notre monde comme les zombis des films d'horreur que j'écoutais avec mes oncles.

Certaines personnes m'ont déjà demandé si ma mère était au courant des inconduites sexuelles de mon père. La réponse est non. Ma mère savait évidemment qu'il nous battait. Mais jamais elle n'aurait pu imaginer qu'il nous violait. Elle n'était jamais à la maison, étant la seule pourvoyeuse d'argent. Elle le savait volage, mais pas pédophile. Et elle était totalement sous son emprise. Pour une personne qui n'a jamais vécu l'enfer de la violence conjugale, il est facile de porter des jugements sévères. Mais rappelez-vous : l'abuseur a effectué un lavage de cerveau à ses victimes. À force de les dénigrer, il a anéanti leur estime de soi. Il en fait ce qu'il veut, comme s'il contrôlait un véhicule téléguidé. Alors, pourquoi ma mère n'a-t-elle rien fait pour se sortir de ce bourbier ? Parce que la violence faisait partie inté-grante de sa vie. Son père l'ayant maltraitée plus souvent qu'à son tour, elle trouvait ça « normal », d'être battue par mon père. C'était un mal nécessaire et inévitable. « C'est la vie », comme on dit. Avant d'émettre une opinion sur une situation donnée, il faut en comprendre tous les tenants et aboutissants. Depuis la prime enfance de ma mère, son existence a été parsemée d'agressions brutales, disproportionnées et injustifiées. Comment aurait-elle bien pu faire pour savoir que sa situation était négativement singulière ? Dès qu'elle a été mise au courant des agressions sexuelles que notre père nous faisait subir, elle a réagi sur-le-champ. Si se faire battre, pour elle, était « normal », les abus sexuels ne l'étaient pas. Je savais que ma mère m'aurait crue si je lui avais dit que je me faisais agresser sexuellement; mais tout cela aurait fini en carnage, mon père nous aurait tous tués.

Donc, une nuit, mon père ne cessait de se coller à moi, plus qu'à l'habitude. «J'ai froid», m'a-t-il chuchoté. «Papa, j'essaie de dormir, s'il te plaît.» Il caressait mes cheveux, me disait que j'étais une belle fille, que j'étais une princesse, *sa* princesse. «Je t'aime tellement, Jeannie.» Il m'a tournée sur le dos et m'a embrassée. Puis il a mis mon visage sur sa poitrine et a poussé sur ma tête vers le bas jusqu'à ce que j'atteigne son pénis. Lorsqu'il a éjaculé dans ma bouche, j'ai eu un haut-le-cœur. Je ne savais pas quoi faire avec la substance, alors je l'ai crachée. Il s'est mis à rire: «Qu'est-ce qui s'est passé? Quelque chose s'est passé, n'est-ce pas? C'était quoi? Du sperme. Ça goûte bon, hein? Bon, allez, va te brosser les dents.»

Il est entré dans la salle de bains alors que je me brossais les dents avec vigueur pour essayer de me purifier. Il a posé une main sur mon épaule. Ce qu'il m'a dit par la suite m'a donné mal au cœur: «Tu es très bonne, tu m'impressionnes vraiment! Tu es meilleure que ta mère, c'est la meilleure pipe que j'ai eue de ma vie. Tu n'avais jamais fait ça avant, n'est-ce pas? Non? Impressionnant.»

C'était la première fois qu'il me félicitait aussi chaleureusement pour quelque chose que j'avais fait. Je ne le reconnaissais pas.

Il a continué: «Fais-moi confiance, Jeannie, je t'aime et je ne vais plus te toucher. Soit dit en passant, tu n'en parles à personne, d'accord? Ça va être notre petit secret, à toi et à moi.»

Il a cessé de me battre, effectivement, et il ne cessait de me dire à quel point il m'aimait et c'était comme s'il ne s'était jamais rien produit. J'étais devenue, en quelque sorte, sa femme.

Anne Marie se rendait compte que quelque chose avait changé dans la dynamique. Je m'éloignais de plus en plus d'elle et j'étais de connivence avec mon père comme je ne l'avais jamais été auparavant. Mon père sorti, elle m'a posé cette question : « Est-ce que papa t'a fait quelque chose de "sale"? » « Non, pourquoi? » Elle a baissé les yeux : « Pour rien, je ne faisais que poser la question. »

Peu après, mes parents sont sortis avec Fabrizio, le frère de ma mère ; ils étaient invités à une fête. Mon père, sous l'influence de l'alcool, a battu ma mère devant les autres. Ma mère est sortie de l'endroit en pleurant. Fabrizio s'en est rendu compte quelques minutes plus tard. À l'extérieur, il a marché quelques minutes : pas de traces de ma mère. Il est revenu à l'intérieur et a demandé à mon père les clefs de son automobile parce qu'il voulait retrouver sa sœur. « Quelle aille se faire foutre, ta sœur, je n'en ai rien à branler », a vociféré mon père.

Cette nuit-là, il m'a envoyée au dépanneur à quatre heures du matin. En m'y rendant, j'ai réalisé à quel point je n'aimais pas ma vie. Je la détestais, même. J'étais fatiguée, le vent glacial me fouettait le visage et j'anticipais avec appréhension l'humiliation que j'allais encore subir en exhortant le commis de faire crédit à mon père, le grand Dave Hilton junior.

Je haïssais cette loque humaine qu'était mon père. Partout où il allait, je haïssais les regards remplis d'admiration que de parfaits inconnus lui lançaient.

Cette réputation de chic type qui l'entourait était de la bouillie pour les chats. Si les gens avaient su à quel point il était le roi des salauds ! J'aurais voulu le crier au monde entier. Dave Hilton junior est un salaud ! Vous m'avez entendue ? MON PÈRE EST UN SALAUD ! J'étais sa fille et j'en avais honte.

Quand je suis revenue, le grand Dave Hilton junior était couché sur le tapis du salon, ivre mort. De peine et de misère, je l'ai tiré jusqu'à son lit. Je l'ai déshabillé et bordé, puis je suis allée me coucher. (Je ne comprenais pas pourquoi il insistait toujours tellement pour que ce soit nous qui l'habillions ou la déshabillions… Nous devions même lui donner son bain, lui laver les cheveux et lui donner des massages en lui frictionnant le dos avec de l'alcool. Pour lui, nous n'étions vraiment rien de plus que des esclaves.) Quelques secondes plus tard, il m'a appelée : « Jeannie ! Jeannie ! Viens me réchauffer ! » Dans la totale noirceur, je me suis dirigée vers son lit en tâtonnant les murs. « Viens ici,

Jeannie. Approche.» J'avais peur.

Même si ma sœur et mes frères étaient dans la maison, je n'avais aucune protection; j'étais seule avec lui.

«Viens dans le lit. Enlève tes vêtements et viens me rejoindre dans le lit. Dépêche-toi.» J'ai fait non de la tête vigoureusement, même s'il ne pouvait pas me voir. «Non, papa, je ne veux pas.» «Enlève tes putains de vêtements et viens me rejoindre dans le lit tout de suite.»

Habituellement, lorsqu'il était en état d'ébriété, il n'abusait jamais sexuellement de moi. C'était différent cette fois: il était tellement agressif qu'il me donnait la chair de poule.

«Je vais te faire perdre ta virginité.» J'ai reculé d'un pas. «Quoi?» «Je vais te faire perdre ta putain de virginité. Approche.» «Papa, non, ne fais pas ça, s'il te plaît…» Il m'a rapprochée de lui. Je l'ai repoussé, il a insisté, je me suis débattue. Finalement, il s'est endormi.

Le ventre noué, je me suis rhabillée et suis revenue dans ma chambre. Des larmes coulaient sans relâche sur mes joues, je ne pouvais m'arrêter de pleurer.

Luna, notre chienne pitbull, m'attendait sur mon lit. J'ai posé ma tête sur son dos et je lui ai dit qu'elle était le seul amour authentique que j'avais. Je ne me chicanais jamais avec elle et elle était toujours douce avec moi. Je l'ai serrée très fort et elle a mis sa tête sur la mienne. J'ai fermé les yeux quelques secondes, puis quelqu'un est entré dans ma chambre.

C'était mon père. «Je vais te faire perdre ta virginité.» Il a poussé la chienne et a appuyé sur mes épaules pour les coller sur le matelas. «Papa, non, ne fais pas ça, je t'en supplie.»

La chienne tremblait. Même si, d'un seul coup de gueule, elle aurait pu le tuer en lui sautant à la gorge, elle était paralysée de peur. Quand il l'appelait, le ton de sa voix lui faisait faire pipi par terre.

Il ne m'a pas déflorée cette nuit-là. Il n'a réussi que partiellement à faire entrer son sexe en moi.

Lorsque ma mère est finalement arrivée, j'étais étendue sur la causeuse du salon, les yeux grands ouverts. Elle a remarqué que j'avais le visage rougi d'avoir trop pleuré. «Qu'est-ce qui se passe, Jeannie? Dis-moi ce qui se passe.» Elle est allée rejoindre mon père et je l'ai entendue lui demander : « Qu'est-ce que tu lui as fait ? Dis-moi ce que tu as fait à Jeannie pendant que t'étais saoul. » Il est venu me rejoindre et, en me faisant un clin d'œil, il a dit : « Il ne s'est rien passé, n'est-ce pas, Jeannie ? »

J'en voulais à ma mère. Pourquoi je devais subir tous ces abus, pourquoi je devais m'occuper de mes deux petits frères et de l'entretien de la maison ? Pourquoi je n'avais pas le droit d'être une adolescente ordinaire ? Pourquoi moi ?

Je suis restée silencieuse. Ma mère est entrée dans ma chambre et a vu que je ne voulais pas parler. J'avais le goût de me jeter à ses pieds et de la supplier de me sortir de l'enfer que mon père me faisait vivre. J'avais un si grand besoin d'aide. Mais rien ne voulait sortir. Tout était bloqué au niveau du ventre.

Mon père m'aurait tuée. Il aurait tué ma mère aussi. Et ma sœur. Et mes deux frères. Il nous aurait tous assassinés si j'avais dévoilé ce qui se passait. Je ne devais pas craquer, la survie de ma famille en dépendait.

Il insistait pour que ma mère aille jouer au bingo. Pour la convaincre, il lui disait qu'elle travaillait très fort et qu'elle méritait de se divertir le plus souvent possible. Je considérais que c'était un petit prix à payer pour qu'il foute la paix à ma mère. Je préférais ça que de la voir souffrir.

Les agressions ont continué. Après les masturbations et les fellations, mon père faisait maintenant glisser quelques centimètres de son sexe à l'intérieur de mon vagin dès qu'il en avait l'occasion. J'étais toujours vierge.

Il nous donnait de l'argent, à Anne Marie et à moi, pour que nous allions au cinéma. En fait, il nous forçait à y aller. Lorsque nous revenions, il y avait de longs cheveux dans son lit, des cheveux qui n'appartenaient à aucun membre de la famille. Il y avait des condoms souillés par terre. C'était dégueulasse : mon père engageait des prostituées et ne se cachait pas de l'avoir fait.

En regardant les taches que les différents fluides de mon père et de ses inconnues avaient laissées sur les draps, je me demandais pourquoi il abusait de moi alors qu'il couchait avec toutes ces femmes. Il pouvait baiser qui il voulait, alors pourquoi sa fille ?

En 1997, mon arrière-grand-mère Mary, la « mère » de ma tante Johanne, est tombée gravement malade. Ses jours étant peut-être comptés, mon père a décidé d'aller lui apporter présence et réconfort. Il m'a amenée avec lui à Sarnia, en Ontario. Soit dit en passant, aujourd'hui, Mary est toujours vivante et a plus de quatre-vingts ans. La dernière chose que Mary m'a dite, c'est de ne jamais abandonner, d'oublier l'opinion des autres et de croire en moi, d'aller de l'avant sans regarder en arrière.

La première nuit, nous l'avons passée dans une chambre d'hôtel miteuse où la tapisserie se décollait des murs. Il m'a fait un suçon dans le cou et en était très fier. « Pourquoi m'as-tu fais ça, papa ? » Il a réfléchi quelques secondes, puis il a dit : « Parce que… parce que tu es à moi. Tu es à moi, n'est-ce pas ? C'est moi qui t'ai faite, alors tu m'appartiens. C'est logique, non ? »

Avec de la vaseline, il m'a pénétrée. J'avais mal et peur, il me consolait en me disant : « C'est juste à l'entrée, ne t'inquiète pas, c'est juste à l'entrée. »

Nous sommes allés visiter quelques-uns de ses cousins à Guelph. Nous y sommes restés. Nous habitions dans une petite maison. Il sortait tous les soirs pour faire la fête avec ses cousins et en profitait pour boire des quantités faramineuses d'alcool. Je pouvais enfin dormir, mais je n'y arrivais pas parce que j'étais trop anxieuse. Mon cerveau était comme un énorme ballon qu'on ferait constamment rebondir sur les murs et les plafonds, toujours en mouvement.

Parce que nous vivions dans une petite communauté, mon père était plus prudent dans ses comportements. Il savait que si ses cousins apprenaient qu'il abusait de moi, il se ferait battre à mort. La nuit, nous dormions ensemble, mais dès qu'un bruit suspect se faisait entendre, je me précipitais dans l'autre lit.

Il n'a pas tenu ses promesses : il a recommencé à me battre. Il m'interrogeait sur mes allées et venues et me posait une foule de questions sur ses cousins. Il voulait évidemment savoir s'ils me jetaient des œillades ou s'ils m'avaient fait des avances. Parce qu'il ne me croyait jamais, je finissais inévitablement par recevoir des coups de poing.

Quand je lui ai dit que j'étais allée manger chez l'une de ses tantes qui m'avait invitée, il m'a interdit d'y retourner parce que c'était, selon lui, une «droguée». Et parce que j'avais accepté l'invitation, j'étais aussi une droguée. J'en suis venue au point où je ne voulais plus sortir parce que je ne voulais pas me faire battre. J'ai donc arrêté de manger parce qu'il n'y avait rien de comestible dans la maison, mon père n'ayant pas les moyens d'acheter de la nourriture. J'ai perdu beaucoup de poids.

Avant un combat de boxe, il n'y avait jamais d'agression sexuelle. Mon père avait plutôt tendance à vouloir parler. Il m'entretenait de ses craintes de perdre et d'avoir mal, du fait qu'il avait du mal à dormir. Il était vulnérable, comme s'il redevenait le petit garçon de cinq ans qu'on jetait à son corps défendant sur un ring.

Dave Hilton junior le boxeur et Dave Hilton junior le père étaient des entités différentes. L'un était fragile, l'autre était impitoyable. L'un avait de l'humilité, l'autre se prenait pour Satan. J'aimais l'un, je détestais l'autre.

Je ne me rappelle plus combien de temps duraient les agressions sexuelles. Cinq minutes, dix minutes, qui sait? J'avais l'impression que, chaque fois, ça se prolongeait pendant une éternité. Je n'étais pas là, mon esprit était ailleurs, il flottait ailleurs alors que mon père exploitait mon corps. Je ne bougeais pas, je me laissais totalement faire, j'étais en mode survie, comme lorsqu'on se fait attaquer par un animal sauvage et qu'on doit rester inerte si on veut avoir des chances de rester en vie.

On dit que, parfois, certaines personnes qui vivent l'inceste éprouvent un plaisir coupable. Ce n'était aucunement mon cas. Ce que mon père me faisait m'a dégoûtée dès le début. Dès qu'il se trouvait à moins de cinq mètres de moi, j'avais la frousse. Ça se produisait tous les jours. Pour le plaisir, on repassera…

J'avais treize ans et, chaque jour qui passait, je me disais: «Un de moins avant mes dix-huit ans.» Dès que j'aurais atteint ma majorité, j'allais fourrer tous mes vêtements dans des sacs-poubelles et j'allais partir loin, très loin. Je trouverais un gars pour m'épouser et plus personne n'entendrait parler de moi.

Ce qui devait arriver arriva: mon père m'a fait perdre ma virginité. Tous les jours, il insistait pour aller de plus en plus loin, il essayait toujours de me pénétrer, il m'implorait: «Allez, laisse-moi mettre ma queue en toi, juste à l'entrée, je vais faire attention.» J'avais une crainte maladive qu'il entre son sexe complètement en moi; autant pour les Gatti que pour les Hilton, la virginité avant le mariage pour les femmes était primordiale. Chaque fois, il revenait à la charge: il faisait glisser un doigt dans mon vagin, j'avais mal, je lui disais d'arrêter: «N'aie pas peur, Jeannie, je ne vais pas toucher à ton hymen.»

Dès qu'un garçon s'approchait de moi, mon père agissait exactement comme un chien de garde qui protège son territoire. J'avais eu une discussion anodine avec un homme d'une vingtaine d'années. Dès qu'il nous a vus, il m'a dit que si je continuais à parler à ce gars-là ou à d'autres, il allait me défoncer le visage.

Nous sommes tous retournés vivre ensemble dans une roulotte, dans la ville de Milton à Camp Ground. J'ai recommencé l'école pendant un mois seulement, mon père m'ayant interdit d'y retourner. Il m'avait laissé y aller pendant un mois seulement pour que le gouvernement me recense, afin de pouvoir toucher des prestations d'aide sociale.

Il a fallu que nous nous débarrassions de Luna, notre chienne. Nous avons eu beaucoup de chagrin. Elle était adorable, la seule qui nous donnait de l'amour inconditionnellement et qui voulait nous protéger mais ne le pouvait pas. C'est oncle Alex qui en a hérité.

Un mois plus tard, j'ai fait un rêve: Luna était gravement blessée, elle était entrée dans la maison et elle laissait sur son passage une trace rouge. Quelques jours après, elle a été frappée par une automobile. Elle est morte sur le coup.

Le comportement d'Anne Marie changeait beaucoup. Elle vieillissait, mais son corps ne suivait pas la cadence, comme s'il refusait de grandir. Mon père avait commencé à lui faire faire des obscénités. Il lui avait montré un livre où il y avait une fellation illustrée et il lui avait carrément demandé de lui faire la même chose. Il aimait à défiler nu dans la maison, alors ma mère lui disait : «Davey, va te mettre des vêtements ! Tu ne peux pas rester déshabillé toute la journée et il y a des jeunes femmes dans cette maison qui ne sont plus des enfants ! »

Anne Marie et moi avions un plan : fuguer. Se sauver le plus loin possible pour qu'il ne puisse pas nous retrouver (idée naïve puisque nous n'avions ni argent ni endroit où aller). Anne Marie m'avait redonné confiance en moi. Abuser de moi était une chose ; abuser de ma sœur, ça, non, je ne l'acceptais pas.

J'étais atterrée lorsqu'elle m'a dit ce qu'il lui faisait. Pourquoi ne se contentait-il pas de moi ? Chaque jour, je le branlais ou je lui faisais une pipe, pourquoi touchait-il à ma sœur ? Elle était toute menue et fragile, encore une enfant. Quelle était l'étape suivante ? Mes petits frères, Jackie et Davey ? Vous savez quoi ? Je n'ai aucun doute qu'ils y seraient passés, eux aussi. Les derniers temps, mon père demandait à Davey d'aller le rejoindre dans son lit… Je jure que s'il avait fait ça, je l'aurais tué.

Nous avons de nouveau déménagé. Nous habitions encore à Milton, mais à l'hôtel Maple's Inn. J'avais pris pas mal de poids, je ne faisais pas attention à ce que je mangeais et je ne faisais pas d'exercice. J'ai décidé de m'activer pour faire fondre ces graisses qui m'indisposaient. Autrement, mon père aurait continué de me rappeler que j'avais hérité d'un gros derrière d'Italienne.

Le soir, j'allais faire des promenades avec mon père dans les sentiers d'un boisé pas très loin de l'hôtel. Là, il me traînait un peu à l'écart et il me forçait à me déshabiller. Il voulait me prendre dans cet endroit sordide où nous aurions pu être surpris par n'importe quel marcheur osant s'aventurer quelque peu dans les bois. Je pleurais, je l'implorais de ne pas faire ça, mais il ne m'écoutait pas. C'était humiliant. Pendant que je le masturbais, j'avais peur que quelqu'un surgisse et nous surprenne. Il me faisait coucher sur le dos et se caressait au-dessus de moi. Malgré tout, mon père était de moins en moins aimable avec moi, me méprisant de plus en plus.

Ma sœur et moi avons souvent été invitées à lui faire une fellation ou autre chose de dégradant ensemble. Il insistait, mais nous n'avons jamais cédé. C'était hors de question. Son fantasme était qu'Anne Marie et moi soyons ses esclaves sexuelles, qu'il n'ait qu'à lever le petit doigt pour que nous le fassions jouir.

J'étais rarement seule avec ma sœur. Nos conversations étaient donc très courtes. Mon père n'appréciait aucunement que nous discutions ensemble parce que, d'après lui, «nous n'avions rien à nous dire». Mais quand nous nous parlions, c'était pour nous rassurer mutuellement. Anne Marie me disait: «Il ne me laisse jamais tranquille, je n'en peux plus.» Je lui témoignais ma sympathie, je lui disais que je savais ce qu'elle vivait parce que j'entendais ses pleurs la nuit.

Les agressions sexuelles étaient devenues, pour mon père, d'une banalité déconcertante. Quand je lui demandais: «Papa, est-ce que je peux aller voir mes amies?», il me répondait: «Ouais, tu peux, mais avant, faut que tu me fasses une pipe.» Pour ma part, je ne m'y suis jamais habituée. Chaque fois, je trouvais ça dégradant et dégoûtant. Chaque fois, j'étais sous le choc quand j'avais fait le «travail». Lorsque j'étais par terre, en pleurs, mon père venait parfois me rejoindre pour me consoler: «Ne pleure pas, Jeannie, ne pleure pas. Je t'aime, tu n'as pas de raison de pleurer. Pourquoi tu agis comme ça? Je le fais pour ton bien, tu devrais plutôt me remercier. Je veux t'apprendre, je veux que tu puisses savoir comment réagir dans telle ou telle situation.» Je lui disais que je détestais ça.

D'autres fois, il était méchant: «Tu pleures encore, petite pute? Tu pleures encore? Sors de mon lit, pleureuse. Je ne veux plus vous voir, toi et ton gros cul.»

L'endroit où nous habitions à Milton était tout petit. Un matin, alors que ma mère passait l'aspirateur, il est entré dans ma chambre, nu. Il venait de prendre sa douche, il y avait encore des gouttelettes d'eau sur ses épaules, il était déjà en érection. «Allez, Jeannie, déshabille-toi.» J'ai fait non de la tête vigoureusement: «Non, non, maman est là.» Il a souri: «Elle ne pourra pas entendre, l'aspirateur fait trop de bruit. Allez, on va s'amuser.» Il a tiré sur le bas de mon pyjama, a forcé mes jambes et a essayé de me pénétrer. Je me suis débattue. «Va-t'en, va-t'en, non, je ne veux pas.» Je prenais de plus en plus d'assurance avec lui, je savais que si j'insistais, il y avait des chances qu'il laisse tomber. Je lui ai flanqué une gifle. Je vous jure que ça m'a fait un bien incroyable, comme si je venais de boire un grand verre d'eau après avoir souffert de déshydratation. Le

1. Mariage de Dave Hilton junior et de Anna Maria Gatti le 17 avril 1982. Debout à gauche de Dave Hilton : Frank Cotroni.

2. Dave Hilton junior et Anna Maria Gatti s'en vont en voyage de noces.

3. À l'avant : les parents d'Anna Maria Gatti. Derrière eux : les parents de Dave Hilton junior. Enfin, dans l'escalier : Frank Cotroni et sa femme.

4. Dave Hilton junior s'adresse aux invités.

5. La salle de réception du Buffet San Pietro dans le quartier Saint-Léonard à Montréal.

6. Anna Maria Gatti et ses beaux-parents.

7. Jeannie à Las Vegas.

8. Anne Marie Hilton et Anna Maria Gatti à Atlantic City pour assister au combat opposant Arturo Gatti et Mickey Ward.

9. Jeannie et Freddy le jour de leur mariage, le 16 mai 2001.

10. Jeannie et son fils aîné, Frederick John.

11. Anne Marie et Jeannie à Miami.

12. Freddy, Anna Maria, Anne Marie et Jeannie dans un café montréalais après leur victoire au procès.

13. Les deux petits frères de Jeannie et d'Anne Marie: Davey et Jacky Stewart.

14. Anne Marie et l'homme de sa vie, Victor, à Atlantic City le jour du combat opposant Arturo Gatti à Leonard Dorin.

geste que je venais de faire l'avait choqué. Il ne bougeait plus, il regardait ailleurs. Un sentiment de satisfaction m'a envahie.

C'est alors qu'il m'a fait voir des étoiles. Alors que j'étais quasiment inconsciente, il a eu tout le loisir de faire entrer son sexe complètement en moi. Je me suis débattue du mieux que je pouvais, mais il s'était fixé un but et rien n'allait l'empêcher de l'atteindre. J'ai eu l'impression qu'on me déchirait le vagin avec un couteau. Tout ce que je me rappelle, à part la douleur, c'est le bruit de la balayeuse qui couvrait mes gémissements.

Lorsqu'il a eu fini, il est sorti sans rien dire. Je me suis rhabillée péniblement et je me suis réfugiée dans la salle de bains. Je tremblais de tous mes membres et je ne cessais de répéter: «Qu'est-ce que cet enfant de chienne vient de me faire? Qu'est-ce qu'il vient de me faire?» J'étais en état de panique totale. Du sang coulait de mon vagin et ce n'étaient pas mes menstruations. Ça venait d'une blessure à l'intérieur de moi. C'est ainsi que j'ai perdu ma virginité.

Dans l'après-midi, nous sommes tous sortis pour aller à la piscine publique. Je portais des verres fumés pour cacher l'énorme ecchymose que j'avais à l'œil et aussi pour qu'on ne se rende pas compte que je pleurais. À un moment donné, il s'est approché de moi, m'a embrassée sur la tête et m'a demandé: «Tu vas bien?» «Oui», ai-je menti.

Les jours suivants, il s'est tenu tranquille. Il ne m'a pas touchée. Chaque activité que je voulais faire, nous la faisions. Il se sentait coupable.

J'ai eu mal pendant des jours. Plus que tout, j'étais psychologiquement détruite. Je n'étais plus bonne à rien. J'étais une «pute», une «salope». Une partie de moi est morte ce jour-là. Qui voudrait maintenant de moi? Qui?

Il va sans dire que ces événements ont créé en moi des blocages sexuels importants. Pendant longtemps, la sexualité a été synonyme de répulsion. Aujourd'hui, après des années de travail sur moi-même, ça va. Ce ne sera jamais parfait mais, compte tenu des traumatismes vécus, je m'en sors bien.

À mon sens, il est si facile de faire plaisir à un homme, c'est quasiment mécanique. Avez-vous déjà entendu un homme se plaindre d'avoir été violé? Pas moi. Pour une femme, au début de sa vie sexuelle active, c'est plus compliqué : il y a une mathématique à respecter. Il faut de la tendresse, de l'amour, du respect et, surtout, du plaisir.

Chaque fois que je vais à la plage et que je vois une petite fille se promener sans couvrir sa poitrine, je me dis que peut-être, quelque part, elle fait prendre son pied à un pervers qui l'observe.

Si on me viole encore un jour, je ne veux pas vivre avec les séquelles après. Je ne vais pas me laisser faire, je vais me défendre bec et ongles ; si l'éventuel violeur veut arriver à quelque chose avec moi, il devra me tuer.

LE DÉBUT DE LA FIN DE NOTRE CALVAIRE SELON...

Jeannie

En prévision du premier combat de boxe contre Stéphane Ouellet le 27 novembre 1998, mon père est parti s'établir à Miami pour rejoindre son entraîneur, Chuck Talhami, un très gentil monsieur qui a su transformer mon père en machine de guerre.

Mon père devait aller à un endroit où il n'y aurait personne qui le reconnaîtrait pour qu'il puisse se concentrer uniquement sur la boxe. Les tentations aussi devaient être limitées. Mon père n'était pas chaud à l'idée d'aller s'établir à Miami. Il a accepté, à condition que je l'accompagne.

Nous habitions à l'hôtel Colonial qui était envahi de Québécois. Pour l'anonymat de mon père, on repassera ! La plupart des gens qui le croisaient le reconnaissaient et lui demandaient un autographe. Les combats contre Ouellet ont été des événements très médiatisés et, comme je l'ai dit précédemment, mon père ne laissait personne indifférent. Même si certains amateurs avaient une préférence pour Ouellet, ils respectaient mon père, car ils le savaient bon bagarreur. Tous les inconnus qui abordaient mon père croyaient que j'étais son amoureuse parce qu'il me traitait comme telle.

Même si tout orgasme était proscrit, il ne pouvait se passer de jouir. Il n'y avait pas de pénétrations uniquement des masturbations et des fellations. Après un court moment de sobriété, il avait recommencé à boire de l'alcool.

Nous faisions des aller-retour à Montréal, ma mère, Anne Marie, mon père et moi, pour assister aux événements promotionnels auxquels mon père devait participer. Le voyage se faisait en automobile et ce n'était jamais mon père qui conduisait parce qu'il se disait toujours fatigué. Lorsqu'il demandait à ma sœur d'aller le rejoindre à l'arrière, je savais que c'était le temps pour lui de se faire faire une pipe. Il faisait la même chose avec moi, c'était chacune son tour.

J'ai dû me trouver un emploi; nous n'avions pas d'argent, mon père le flambait au fur et à mesure qu'il le recevait. Ses bourses étaient considérables, mais nous ne voyions jamais l'ombre d'un dollar. Il faisait la fête et ça lui coûtait cher. Il pouvait dépenser des milliers de dollars en une seule soirée.

Je suis entrée dans une phase de rébellion. J'ai coupé mes longs cheveux, j'ai cessé de me maquiller et je ne portais que des vêtements amples. Je faisais tout pour m'enlaidir et ne pas me faire remarquer. Je me suis retirée dans mon monde.

Je lisais beaucoup et ne sortais plus parce que, dès que je mettais le pied dehors, j'étais en proie à des attaques de panique. J'avais honte de moi, j'avais honte de ce que je faisais avec mon père, j'avais honte de ma vie.

Mon père est parti pour honorer un autre contrat avec Interbox. Il avait quarante mille dollars en sa possession et il ne nous a même pas laissé assez d'argent pour survivre. Mais j'étais enfin seule et c'était une délivrance.

Courte délivrance parce qu'il revenait toujours. Un jour, d'une rare nervosité, mon père a demandé à me parler seul à seule: «Écoute, Jeannie, ta sœur est mal en point, il faudrait que tu l'amènes à l'hôpital pour qu'un médecin l'examine. Et il ne faut pas que ta mère le sache, d'accord?» Anne Marie a dû guérir sans l'aide d'un médecin parce qu'en Floride, une consultation médicale coûte de l'argent et que nous étions trop pauvres pour nous payer ce luxe. Aux États-Unis, mon père avait d'hallucinantes dettes d'hôpital parce que, dès qu'il ne se sentait pas bien, il croyait qu'il avait été empoisonné ou qu'il avait une grave maladie. C'était un hypocondriaque:

il se croyait toujours malade. Lorsque je me suis fracturé la cheville, je n'ai pas pu aller me faire soigner à l'hôpital parce nous n'avions pas un sou et que les Hilton étaient sur la liste noire des hôpitaux.

Après avoir été mise au courant que ma sœur s'était aussi fait violer, je me suis sentie coupable au point d'en vomir et de ne plus dormir. Je n'avais pas réussi à protéger ma sœur et je m'en voulais. Je n'avais pas été là pour elle quand c'était le temps de la secourir. Le corps de ma sœur était couvert de meurtrissures, surtout autour des organes génitaux. Je me disais : « Il a commis les pires actes qu'un père peut faire subir à ses filles, qu'est-ce qui s'en vient ? Qu'est-ce qui est pire que ce qu'il nous a fait vivre ? »

J'avais beaucoup de compassion pour Anne Marie, mais je ne me rendais pas compte que j'étais plongée dans une profonde dépression et que, de la compassion, j'en aurais mérité également. Je pensais aux autres et je m'oubliais totalement.

Lorsqu'il n'était pas à la maison, mon père nous appelait souvent pour savoir ce que nous avions fait, ce que nous faisions et ce que nous ferions. Nous avons déjà reçu un appel de lui à quatre heures du matin. C'est ma mère qui a répondu. Quelques secondes plus tard, elle m'a tendu le combiné : mon père voulait me parler.

Il était saoul, évidemment : « Jeannie, joyeuse Saint-Valentin ! Ça va ? Tu sais quoi ? Hein, tu sais quoi ? Je t'ai trompée. Oui, je t'ai trompée avec la réceptionniste de l'hôtel et tu veux savoir ? Je n'ai pas été capable de venir parce qu'elle ne m'a pas excité. Et après, je me suis branlé devant un film porno et, là encore, je n'ai pas pu venir. Tu sais ce qui a fonctionné ? Dès que j'ai pensé à tes jambes, ça a fonctionné. C'est incroyable, non, pas capable de venir toute la soirée et dès que t'apparais dans ma tête, ça marche ! » J'ai raccroché et, le reste de la nuit et de la journée qui a suivi, j'ai souffert de nausée.

Avec ma mère, parce que mon père n'était pas là pour faire de l'obstruction et diviser pour mieux régner, la relation allait de mieux en mieux. Plus j'apprenais à la connaître, plus je l'aimais. C'est une femme intelligente, sensible et aimante. Ensemble, nous riions beaucoup et nous avions du plaisir.

Nous allions nous entraîner et boire un jus dans un café. Nos discussions étaient toujours cordiales et pouvaient durer des heures. Enfin, nous pouvions respirer.

Une nuit, mon père m'a appelée et m'a fait cette révélation : «Jeannie, parce que tu es heureuse là où tu es, je ne reviendrai plus. Tu es une grande fille maintenant, tu peux vivre seule. Je vais t'envoyer de l'argent et je sais que tu vas savoir le dépenser correctement. Tu es seule, maintenant.» En raccrochant, un sentiment paradoxal m'a envahie : d'un côté, ça me soulageait ; d'un autre, j'avais l'impression de n'avoir été pour lui qu'un objet qu'on jette quand on n'en a plus besoin. Qu'est-ce qu'il avait l'intention de faire ? Se marier avec une autre femme, la battre, lui faire des enfants, les battre et, dès qu'ils en auraient l'«âge», les violer ? C'était une véritable gifle qu'il venait de m'assener.

Anne Marie est entrée dans une phase de rébellion. Elle avait commencé à fumer et, dès que mon père était parti, elle passait tout son temps à la plage avec des amis. J'étais furieuse. J'étais l'aînée et je devais veiller à ce que tout soit sous contrôle. Ma sœur se foutait de mes ordres. Je lui disais qu'elle devait rester tranquille, qu'elle devait suivre les ordres de notre père. Mais mes sermons ne l'atteignaient aucunement. Si mon père apprenait qu'elle fréquentait des garçons, elle n'était pas mieux que morte. Moi aussi, d'ailleurs. Elle n'était pas insouciante, elle savait qu'elle courait des risques. Elle avait le courage de résister, un courage que je n'avais pas.

Un soir que je regardais la télévision (j'étais seule avec mes frères), mon père a appelé. Il m'a demandé, comme d'habitude, ce que je faisais. Puis il a demandé à parler à Anne Marie. Je lui ai dit qu'elle était sortie pour quelques instants. Vingt minutes plus tard, mon père est revenu à la charge. «Où est Anne Marie ? Elle est partie depuis combien de temps ?» Je lui ai répondu que je ne le savais pas. «Va la chercher, et vite !» «Et les garçons, qu'est-ce que je fais d'eux ?» Il n'a pas hésité un instant : «Au diable les garçons, trouve-la !» J'étais affolée. J'ai dit à mes frères de rester tranquilles, que je devais m'absenter.

Anne Marie était à la plage, évidemment. C'est elle qui est à l'origine de notre libération, mais j'ignorais que le joug de notre père allait bientôt prendre fin. Pour l'instant, j'étais enragée. Moi aussi, j'avais eu une période d'opposition à l'autorité, mais jamais je n'aurais risqué nos vies!

Elle était là, assise sur les marches d'un kiosque. Quand elle m'a vue, elle a sursauté: «Jeannie, qu'est-ce qu'il y a? Qu'est-ce que tu fais là?» Je lui ai crié: «Toi, qu'est-ce que tu fais là? Es-tu droguée? Es-tu déficiente? Papa va te tuer s'il sait que tu es ici. Et c'est moi qui suis responsable de toi, alors tu vas me suivre immédiatement.»

Elle m'a demandé de ne pas l'humilier devant ses amis. «Tes amis, je m'en fous! Il va nous tuer, tu comprends? Nous tuer!» Elle a commencé à pleurer: «Ne le dis pas à papa, d'accord? Ne le dis pas, je t'en supplie. Dis-lui que je suis allée marcher.» «J'en ai assez de protéger ton cul. Je vais lui dire où tu étais.» J'ai vu de la hargne dans ses yeux: «Alors, dis-lui. T'as toujours été la fille à papa. T'as toujours été sa favorite.»

Ça a mal tourné. Sur le trottoir, nous nous sommes battues. Nous nous sommes tiré les cheveux, et des coups de poing ont été échangés. Pendant qu'on nous séparait, ma sœur a crié: «Je m'en fous que tu lui dises, je m'en vais, j'en ai assez.»

En revenant à l'hôtel, j'ai appelé mon père. Il était ivre. Je lui ai dit où était Anne Marie. Il m'a demandé de répéter, ce que j'ai fait. «Trouve-la-moi, je veux lui parler.» Je ne sais pas ce que notre père a dit à Anne Marie, mais son visage est devenu livide. Elle m'en voulait de l'avoir dénoncée.

Je travaillais soixante heures par semaine pour être capable de faire vivre la famille. La seule chose que je demandais à ma sœur, c'était de s'occuper des garçons; elle ne voulait rien savoir. C'était frustrant. Et je me sentais mal de ne pas avoir été capable d'assumer correctement mes responsabilités. Anne Marie rendait les choses encore plus pénibles.

Après qu'Anne Marie a parlé à notre père, elle m'a tendu le combiné. «Écoute-moi bien, petite salope, parce que t'es la plus vieille, c'est toi qui devais surveiller ta sœur. Tu vas aller voir ta mère et tu vas lui dire où sa putain de fille était, d'accord? Et rappelle-moi.»

Anne Marie m'a poussée : « Espèce de sale dégueulasse ! » Je lui ai dit de garder un œil sur les gars pendant que j'allais voir notre mère.

En marchant pour me rendre à l'hôtel où elle travaillait, j'avais l'impression de me trouver dans une quatrième dimension. Mais qu'est-ce que je venais de faire ? Quelle erreur monumentale ! me disais-je. Ça n'avait aucun sens, il allait tous nous tuer, c'était sûr. Jamais l'une de nous n'avait osé le défier à ce point. Jamais.

J'ai rapidement expliqué à ma mère ce qui venait de se produire. Elle m'a demandé de rentrer à la maison et de l'attendre.

Sur le chemin du retour, en voyant un téléphone public, j'ai décidé d'appeler mon père. Il était encore plus saoul que saoul. « Alors, tu as dis à ta mère ce que je t'ai demandé de lui dire ? » « Oui, je lui ai dit. Est-ce que tu te rends compte de la vie de merde qu'a Anne Marie ? » Cette question m'avait complètement échappée. Je l'avais posée sans réfléchir. « Écoute, Anne Marie est une pute et elle fume et quand je vais la voir, je vais lui défoncer la chatte. » Il se foutait d'Anne Marie, il se foutait de moi, il se foutait de ma mère. Son seul souci était son bien-être. « Papa, tu ne vaux même pas un tas de merde. » Au bout du fil, il a dégluti : « Quoi ? Qu'est-ce que tu viens de me dire ? Attends d'être devant moi, petite salope. » Cela ne m'a pas démontée : « T'as toujours été un minable délinquant, papa, et tu vas toujours le rester, O.K. ? On va se voir en enfer, salut ! » Et j'ai raccroché.

C'était la première fois que je disais ma façon de penser à mon père. C'était la première fois que je faisais preuve d'une si grande force de caractère. Et ça m'avait fait un bien immense.

Je me rappellerai toujours le visage de ma sœur quand je suis entrée dans la chambre d'hôtel. Il y avait des sacs à ordures devant elle, des sacs remplis de ses vêtements. Elle avait le visage inondé de larmes. Je lui ai demandé où elle s'en allait. « Je ne sais pas, mais il faut que je parte. Il va me tuer, Jeannie. Il va me tuer, c'est sûr. » J'ai fait non de la tête. « Tu sais quoi ? Il ne va pas te tuer parce que nous allons le dire à maman. » Et nous nous sommes donné une accolade. C'était la première fois que j'allais faire quelque chose pour aider réellement ma sœur. Et m'aider pareillement.

Lorsque notre mère est rentrée, nous étions toutes les deux en larmes, assises sur le plancher. Elle a fait de gros yeux: «Mais qu'est-ce qui se passe ici?» Je me suis levée. «Maman, assois-toi.» «Quoi? Qu'est-ce qui se passe? Pourquoi pleurez-vous toutes les deux? Il s'est passé quelque chose, non? Dites-le-moi maintenant.» Ma sœur m'a demandé de parler. Ce que j'ai fait: «Anne Marie et moi ne sommes plus vierges.» Elle a échappé la cigarette qu'elle tenait entre ses doigts. «Nous ne sommes plus vierges parce que c'est papa qui nous a fait perdre notre virginité.» Son visage est devenu tout blanc. «Qu'est-ce que tu veux dire quand tu dis qu'il vous "l'a fait perdre"?» «C'est papa qui nous a fait perdre notre virginité.» Sa mâchoire s'est raidie: «Ce trou du cul vous a touchées?» «Oui.»

Ma mère, ma sœur et moi pleurions.

Je me sentais, pour la première fois de ma vie, en sécurité. Le mur infernal entre nous toutes que Dave Hilton junior avait érigé à force de mensonges, d'abus et de méchancetés était tombé. Nous pouvions enfin nous toucher et nous voir telles que nous étions. Nous pouvions enfin sentir que nous formions une famille unie. Le passé était justement du passé. L'important était le présent et, à cette heure, nous étions fortes.

Ma mère a appelé mon père, elle lui a dit qu'il était «un trou du cul», mais il était trop saoul pour répliquer.

Puis elle a téléphoné à mes grands-parents. Ils n'étaient pas là, elle a laissé un message. Ils ont rappelé le lendemain matin. Ma grand-mère n'en croyait pas ses oreilles. Ma mère lui a annoncé qu'elle allait le dénoncer à la police. Grand-mère Jean lui a dit: «Si tu ne le faisais pas, tu ne serais pas humaine. On doit se préparer, il va se faire tuer en prison. C'est un monstre.»

Chaque jour, j'appelais grand-mère Jean pour lui faire un compte rendu de l'évolution de la dénonciation. Elle voulait connaître tous les détails et je les lui donnais. Elle ne cessait de répéter: «Je ne peux pas croire ce qu'il vous a fait. C'est horrible.»

Je pensais que ma grand-mère était de notre côté jusqu'à ce qu'Anne Marie soulève un doute. Elle m'a dit qu'elle trouvait le comportement de grand-mère Jean un peu étrange. Je n'avais rien noté de tel.

Une nuit, Jean m'a appelée à l'hôtel où je travaillais. J'avais profité de ma pause pour m'étendre un peu. Bosser la nuit était dur pour moi et j'avais deux emplois, ce qui me demandait beaucoup d'énergie. Ma grand-mère était particulièrement joyeuse : « Salut, ma chérie, comment vas-tu ? Qu'est-ce que tu faisais ? Grand-maman y a pensé et j'ai le plaisir de t'annoncer que j'ai trouvé une idée pour cette histoire de virginité. Tout n'est pas fini. On va tout simplement dire à l'homme de ta vie que le copain que tu avais avant lui ne convenait pas à la famille. Qu'est-ce que t'en penses ? » J'étais à demi réveillée. J'ai répondu que c'était ce que nous allions faire. Cette tentative de banaliser ce que mon père m'avait fait s'est poursuivie dans plusieurs autres conversations. Elle m'a notamment dit une horreur telle que : « Tu veux savoir quelque chose ? L'amour est fort. Parfois trop fort. C'est pour ça que ton père a agi comme ça. Parce qu'il t'aime. » Et elle a ajouté que, de toute façon, ces choses-là arrivent « dans les meilleures familles ».

Grand-mère Jean donnait l'impression d'être avec nous mais, en réalité, elle n'agissait qu'en lobbyiste et en espionne.

La nuit qui a suivi notre révélation, j'ai enfin dormi. J'ai passé une nuit exceptionnelle dans les bras de ma mère. Je sentais enfin qu'elle me protégeait. Je n'avais plus rien à craindre, elle allait prendre les moyens nécessaires pour faire cesser mes souffrances. Pour sa part, elle n'a pas réussi à s'endormir. Elle a gardé les yeux fixés au plafond.

Le matin, elle nous a, à Anne Marie et à moi, annoncé qu'elle allait porter plainte à la police. Je ne voulais pas. « On n'a pas le choix, Jeannie. Tu connais ton père, jamais il ne va nous laisser tranquilles. Et il doit payer pour ce qu'il vous a fait. » Je savais que ça n'allait pas être une partie de plaisir, mais, entre deux situations désagréables, il faut choisir celle qui l'est le moins.

Ma sœur et moi avons rencontré deux policiers qui nous ont interrogées séparément. En cinq minutes, ils savaient que nous ne mentions pas. Ils étaient très gentils.

Le lendemain matin, nous sommes allées passer des examens gynécologiques au Jackson Memorial Rape Treatment Center. L'infirmière qui m'a accompagnée était aimable et affable. Elle savait que j'avais été violée, mais pas par qui: «Qui t'a fait ça, ma fille? Un cousin? Un voisin? Ton frère?» «Non, c'est mon père.» Elle a levé un sourcil: «Ton beau-père, tu veux dire? Le copain de ta mère?» «Non, mon père. Mon vrai père.» Elle était horrifiée.

Les manipulations étaient très embarrassantes. Les médecins cherchaient des preuves de ce que j'avançais. Lorsque mon père me pénétrait, j'étais tellement crispée que son sexe déchirait la peau de mon vagin. Des preuves, ils en ont récolté.

J'ai rencontré un psychiatre, mais je n'avais pas grand-chose à lui dire. C'était encore trop frais.

Les policiers nous ont annoncé qu'ils avaient des preuves pour inculper mon père. Ils nous ont félicitées d'avoir agi en adultes et d'avoir gardé notre calme pendant la procédure. Après avoir vécu avec un malade pendant plus de quinze ans, c'était facile!

Une des maîtresses de mon père devait le ramener, mais, pour une raison que j'ignore, il a dû repousser son voyage. L'hôtel où nous habitions était rempli de policiers en civil et ces derniers ont malgré tout réussi à recueillir d'autres preuves. Mon père m'a appelée et la conversation a été enregistrée. En parlant de ma sœur, il a dit: «Tu diras à la petite salope que je n'ai pas oublié ce qu'elle a fait. En revenant, elle va y goûter.»

Pour des raisons juridiques compliquées, mon père ne pouvait pas être inculpé en Floride. Les policiers étaient désolés. Nous avons dû aller au Québec pour subir les mêmes examens et redire notre histoire. C'était pénible, mais c'était un mal nécessaire.

Maintenant que je suis sortie de ce cauchemar, beaucoup de choses que mon père faisait ou disait me paraissent aberrantes. Ainsi, il m'a déjà fait part des soupçons qu'il avait à l'endroit d'Anne Marie, précisant qu'il la trouvait trop «lousse». «Quand je mets mon doigt dans ta chatte, c'est pas mal plus serré.» C'est de ma sœur qu'il parlait! Et quand je prenais ma douche ou en sortais, il était toujours aux alentours à me reluquer. Ma mère m'a demandé à quelques reprises si mon père avait des gestes déplacés, j'ai toujours dit non parce que j'avais peur.

Anne Marie

Nous étions maintenant en Floride. Mon père se préparait pour son premier combat contre Stéphane Ouellet. Il disait qu'il s'entraînait mais, tous les soirs, il buvait et couchait avec une fille différente. S'il avait été le moindrement sérieux et qu'il s'était concentré sur la boxe, il n'aurait fait qu'une bouchée de Stéphane Ouellet.

Avec ma sœur, je disais à voix haute rêver avoir dix-huit ans. À minuit une minute, j'allais quitter cet enfer et plus personne, à part Jeannie, n'allait me revoir. Je me marierais et je pourrais enfin être heureuse. J'aurais des enfants et tout ce que j'avais vécu serait derrière moi.

Mais je connaissais mon père et je savais qu'il ne me laisserait pas partir aussi facilement. J'avais peur qu'il me retrouve et batte mon mari. J'avais peur qu'il continue à avoir une emprise sur ma vie comme c'était le cas à cette époque. J'appréhendais son comportement possessif. À bien y penser, je me disais que non, ce n'était pas possible; à dix-huit ans, il ne me laisserait pas partir. Il me garderait captive. Il abuserait de moi jusqu'à ma mort.

Aujourd'hui, chaque matin, j'ai du mal à croire qu'il est en prison, que je suis enfin libre. J'étais rendue à un point de non-retour. J'étais totalement désespérée. Pas une seconde je n'ai pensé le dire à ma mère parce que j'étais sûre que mon père nous aurait assassinées.

La première fois qu'il m'a pénétrée, je ne me rappelle plus si c'était le jour ou la nuit, c'est nébuleux. Il a utilisé de la vaseline. Il n'avait pas d'expression faciale particulière, c'était comme un animal qui copule. Ça n'a pas pris beaucoup de temps, deux minutes, je pense. Une fois venu, il est parti et m'a laissée seule.

Pendant l'agression, j'ai eu très mal et je pleurais. Je suis allée à la salle de bains, là où je pouvais être seule. Du sang coulait sur mes cuisses. Le bas de mon ventre était douloureux. Je venais de perdre ma virginité. Ma vie était terminée. Aucun homme ne s'abaisserait à m'épouser, moi, Anne Marie Hilton. J'étais en état de choc. Ma vie était finie.

Quelques jours plus tard, il a tenté de me sodomiser, toujours avec de la vaseline, parce que ma vulve et mon vagin étaient trop mal en point. Ça n'a pas fonctionné parce que ça faisait trop mal. Chaque fois que je criais, il me disait de la fermer.

Avant de partir pour une conférence de presse à Montréal, il m'a demandé si c'était lui qui était responsable des blessures à mes organes génitaux. Il m'a promis que lorsqu'il reviendrait en Floride, il m'achèterait une guitare parce que mon rêve a toujours été de chanter. J'ai toujours chanté et on dit que j'ai une voix mélodieuse.

C'est durant l'une de ses absences que j'ai tenté de me suicider en me tranchant les veines des poignets. Heureusement, je n'ai pas appuyé assez fort. Quoi qu'il en soit, en plus des abus, je devais vivre avec une profonde dépression. J'avais été élevée dans un cadre strict en matière de sexualité et la valeur la plus importante entre toutes, la virginité avant le mariage, ne valait plus rien. Parce que je ne valais rien à ses yeux, mon père m'a dit que pas un homme ne méritait ma virginité, voilà la raison pour laquelle c'était lui qui l'avait prise. J'étais le dernier de ses soucis. Après une conférence de presse, il m'a demandé ce que j'avais fait pendant la journée. Je lui ai dit que j'étais allée à la plage. Il m'a demandé : «Alors, tu t'es fait baiser?» J'ai protesté. Il a terminé la conversation avec ces mots : «De toute façon, tu n'es plus vierge, alors on s'en fout.»

Mon seul espoir était de pouvoir rencontrer un gars qui allait me pardonner et qui, surtout, allait être plus fort que mon père pour pouvoir me défendre et lui résister.

Toujours pendant qu'il n'était pas là, j'allais à la plage et je courais le plus vite possible. Je fermais les yeux, ça peut sembler ridicule, mais je me sentais libre et légère comme un oiseau.

J'ai commencé à sortir, à fumer et à me faire des amis. J'étais la fille qui était toujours à l'écart, assise sur les marches d'un escalier pendant que les autres étaient debout. J'étais la fille bizarre, mais tout le monde m'acceptait telle que j'étais. On me demandait ce qui n'allait pas, je disais que j'aimais seulement être seule. Mes amis savaient qui était mon père et je leur avais fait promettre des dizaines de fois de ne pas lui dire, s'il venait les voir, que je les fréquentais. Je disparaissais pour un mois ou deux, le temps que mon père était en Floride, et je réapparaissais quand il était assez loin pour ne plus représenter une menace.

J'ai bu de l'alcool. Je me bourrais de Tylénol parfois, j'en prennais trop. Je voulais mourir. Je voulais mourir seule.

À quatorze ans, j'étais dans un centre d'achats et, subitement, une envie de vomir m'a prise. J'ai couru jusqu'aux toilettes. Une fois mon estomac vide, je me suis regardée dans le miroir. J'avais le teint blafard et il m'a semblé qu'il y avait des années que je n'avais pas vu ou senti mes lèvres faire un sourire. Puis j'ai été foudroyée par une idée qui m'a traversé l'esprit : et si j'étais enceinte ? Depuis un certain temps, j'avais remarqué que mes jeans étaient plus serrés. La situation devenait de plus en plus pénible. Je ne pouvais pas aller passer un test de grossesse, car plein de gens savaient que j'étais la fille de Dave Hilton junior. La panique a duré quelques jours jusqu'à ce que j'aie mes règles.

Je travaillais dans un restaurant. Je lavais la vaisselle douze heures par jour, cinq jours par semaine. Mon patron me mettait de la pression, mais ce n'était rien en comparaison des sévices que mon père m'avait fait subir. Je l'envoyais promener, je me foutais de perdre mon emploi. Je me foutais carrément de la vie. La mort était pour moi la solution la plus facile et la plus réconfortante. Même si j'essaie de toutes mes forces, je ne serai jamais une fille normale.

Un de mes amis, Tommy, était très gentil avec moi. Il travaillait à la plage dans un kiosque où on vendait des accessoires pour les surfeurs. Il était plus vieux et tout le monde voulait être son ami. Il avait toujours des histoires incroyables à raconter. Il avait également une excellente capacité d'écoute, à un point tel que je me suis ouverte peu à peu à lui. Il ne me jugeait pas, il ne faisait que m'écouter. Il était plein d'empathie pour moi. Ça me faisait un bien fou!

Je méprisais les filles de mon âge qui se vantaient d'avoir perdu leur virginité et qui couchaient à gauche et à droite, comme si elles ne se respectaient pas. La première fois qu'on fait l'amour est un événement tellement important! On ne peut pas le gâcher en baisant avec un homme qui ne sera plus dans notre vie dans un mois. J'aurais tellement voulu avoir la chance et le privilège de décider qui allait me déflorer! Ces filles ne se rendaient pas compte de la chance qu'elles avaient.

On aurait eu beau essayer de trouver des expressions politiquement correctes pour décrire ma situation, la vérité toute crue était que mon père me baisait. Point. Encore aujourd'hui, chaque fois que je repense à ça, je me sens mourir un petit peu. Mon plus grand regret est de ne pas en avoir parlé à ma mère avant. Je n'en ai pas eu le courage jusqu'à ce que mes amis me disent de prévenir ma mère.

C'est Tommy qui m'a donné un ultimatum : si je n'en parlais pas à ma mère, il allait lui-même contacter la police.

Mon père n'arrêtait pas d'appeler à la maison. Il demandait toujours où nous étions, ce que nous faisions. Il réussissait même à me joindre là où je travaillais; il m'a demandé de quitter mon emploi parce qu'il ne voulait pas que je travaille. Je l'ai écouté, bien entendu.

Mes relations avec ma mère et ma sœur étaient mauvaises parce que mon père s'arrangeait toujours pour provoquer des discordes. Il savait que si nous commencions à nous parler, son pouvoir diminuerait. Il avait toujours des méchancetés à dire au sujet de ma mère. Il me disait qu'il me violait parce qu'elle ne l'excitait pas et que son vagin n'était pas assez serré pour lui. Il ne sentait rien avec elle alors qu'avec moi, c'était tout le contraire. Ses commentaires m'allaient droit au cœur. Je détestais ma mère. Si je subissais tout ce calvaire, c'était en bonne partie à cause d'elle. Je me trompais, évidemment. Mon père justifiait les saloperies qu'il me faisait parce que ça l'aidait à se déculpabiliser.

Quand je n'étais pas à la maison, ma sœur lui disait que j'étais partie à la buanderie, par exemple, même si elle savait que j'étais à la plage avec mes amis, ce qu'elle désapprouvait. Mais une nuit, elle a craqué et lui a dit où j'étais et ce que je faisais. Mon père, au bout du fil, était furieux. Elle est venue me rejoindre à la plage et m'a ordonné de retourner à la maison. Elle était fâchée parce qu'elle aussi allait en subir les conséquences. Après en avoir fini avec moi, il aurait reproché à Jeannie de ne pas avoir gardé l'œil sur moi.

Je la trouvais mesquine, mais je dois dire à sa décharge qu'elle n'était pas rendue à la même étape que moi. Des amis m'avaient écoutée et m'avaient fait réaliser que la situation que nous vivions à la maison était anormale. J'étais prête à mourir pour me libérer de mon père. J'étais prête à tout. Y compris à en parler à ma mère.

Je me faisais battre pour des banalités, j'avais peine à imaginer ce que mon père me ferait endurer quand il allait revenir.

En pleurant, j'ai supplié ma sœur de dire à notre mère ce qui se passait. Ma sœur est partie voir ma mère à l'endroit où elle travaillait. Lorsque je suis rentrée à la maison, le téléphone a sonné. C'était mon père. « Où étais-tu ? Dis-moi où tu étais. Dis-moi où tu étais ! Quand je vais revenir à la maison demain, je vais briser ton putain de nez et tous les hosties d'os de ton corps. » J'ai laissé tomber le combiné. Mon père tenait toujours ses promesses, notamment en ce qui avait trait à ses menaces de punitions. Si ça se trouve, il allait me tuer. Et je l'imaginais très bien expliquer aux policiers que ce n'était pas sa faute si je m'étais retrouvée devant ses poings.

Après avoir repris mes esprits, j'ai appelé mon ami Tommy pour lui demander conseil. « Dis-le à ta mère ! Il faut absolument que tu la mettes au courant ! » J'ai mal réagi. Qu'est-ce que ce conseil allait m'apporter ? Mon père allait me battre jusqu'au coma et il me disait d'en parler à ma mère ! Quel genre d'ami il était ? Ma mère ne pouvait rien faire, j'en étais persuadée. Frustrée, j'ai raccroché.

J'ai commencé à vider les tiroirs de ma commode et à mettre mes vêtements dans des sacs à ordures. Je m'en allais.

Ma sœur est revenue et m'a demandé ce que je faisais. Elle m'a déconseillé de partir. Elle m'a dit : « De toute façon, il va te retrouver. Tu te rappelles quand oncle Jimmy s'était sauvé parce qu'il lui avait fait quelque chose ? Il l'a retrouvé et lui a cassé la gueule. On ne peut pas prendre la fuite. Et as-tu pensé à maman ? Qu'est-ce qui va lui arriver ? »

Jeannie a appelé mon père et lui a dit que c'était normal que je veuille sortir et avoir des amis. Toutes les adolescentes normales agissent comme ça. Il n'a rien voulu entendre. J'étais cuite. Ma sœur aussi parce qu'elle avait osé prendre ma défense.

Quand ma mère est rentrée du travail, elle m'a demandé pourquoi j'étais allée à la plage et ce que j'y avais fait. Elle m'a rappelé que mon père ne voulait pas que j'y aille.

Je pleurais. J'ai regardé ma sœur, pris une bonne inspiration et je lui ai dit : « Allez, Jeannie, on doit lui dire. On doit dire à maman ce qui se passe. » Elle a hoché la tête. Je me suis lancée : « Tu te rappelles, maman, quand j'ai voulu m'acheter des tampons et que tu m'as dit de ne pas en mettre parce que ça pourrait briser mon hymen ? Eh bien, je ne suis plus vierge. » « Moi non plus, a dit Jeannie. Moi non plus ; je ne suis plus vierge. »

Ma mère a commencé à trembler. Elle savait. Elle savait que c'était notre père. Jeannie ne sortait jamais, elle était au travail ou à la maison. Et nous avions été élevées avec l'idée que notre virginité était précieuse. Elle a pété les plombs. Elle a appelé mon père qui était dans un restaurant avec Johnny Peluso et oncle Matthew. Il était ivre mort, il n'a probablement rien compris de ce que ma mère lui a dit. Elle était enragée.

À la première heure le lendemain matin, ma mère a appelé les policiers. J'étais contre : je ne croyais pas qu'ils pourraient nous aider. Je pensais qu'il aurait été plus adéquat de partir. Je ne me voyais pas non plus tout raconter à des inconnus. Premièrement, j'avais honte. Deuxièmement, par où commencer ? Les viols avaient lieu tous les jours et depuis si longtemps. Et troisièmement, je ne voulais pas revivre ce cauchemar.

Ma grand-mère Jean nous a appelées, en larmes. Quand ç'a été mon tour de lui parler, le sujet de la perte de ma virginité a été mis sur le tapis. Elle m'a dit : « Ne te casse pas la tête, on va te trouver un mari et on va lui expliquer que l'homme qui t'a fait perdre ta virginité était mauvais. Ne t'inquiète pas. »

Nous avons rencontré le détective Ray, un homme qui avait beaucoup d'expérience dans les enquêtes reliées aux agressions sexuelles. En nous regardant, il pouvait savoir si nous mentions. Dans sa carrière, il a vu plusieurs filles qui se sont plaintes d'avoir été agressées alors que c'était faux. Mais ce n'était évidemment pas notre cas, nous étions cohérentes et, quand on ne raconte que la vérité, il n'y a pas moyen de se tromper, même si on nous repose la question des mois plus tard. Même quand nous relations un fait véridique, il nous donnait l'impression que nous mentions ! Je crois que, dans ce métier, le scepticisme est de mise. Il nous a crues dès le départ.

Notre père devait revenir le jour même ou le lendemain. Des policiers ont été postés tout près de l'endroit où nous habitions ; un mandat d'arrestation avait été émis contre lui. S'ils avaient mis la main dessus, il aurait dû purger beaucoup plus que sept années de prison. La peine qu'il a reçue est clémente. Il mériterait de passer le reste de sa vie derrière les barreaux.

Il ne s'est pas montré. Pour une raison que j'ignore, il est resté au Québec.

Nous avons dû subir des examens gynécologiques pour amasser des preuves. Jeannie avait de graves blessures dans le vagin, il ne faisait aucun doute que nous disions la vérité. Puis on s'est assuré que nous n'avions pas le sida ou d'autres maladies transmises sexuellement.

Nous avons rencontré un psychiatre.

Parce que mon père n'était pas rentré aux États-Unis, nous avons dû nous rendre au Canada. Là, nous avons rencontré le policier Gilles Lafrance, un homme très charmant qui a tout fait pour nous faciliter la tâche. Il me posait des questions très indiscrètes et, chaque fois, il s'excusait. Il ne voulait pas rater son coup, je le comprenais. Je devais lui donner des détails des agressions, un exercice qui m'a fait revivre mon cauchemar. Mais avec le policier Lafrance, c'était plus facile. J'aimerais bien un jour le revoir et le remercier d'avoir été si gentil.

LE PROCÈS SELON...

Anne Marie

Passer au travers du procès a été la chose la plus difficile de toute ma vie. Raconter mon histoire à deux cents étrangers, alors que j'étais à peine capable de me la repasser dans ma tête, était effrayant et je me disais que c'était rien de moins qu'un cauchemar. Ça me brisait le cœur, aussi. Je souhaitais qu'il admette ce qu'il avait fait pour que je ne sois pas obligée de raconter cette histoire. J'espérais un miracle ou quelque chose du genre. C'était tout à fait moi dans ce temps-là.

J'étais contente d'être entourée de gens comme Hélène Di Salvo et les policiers (les deux Gilles et Joanne). Ils étaient tous très gentils avec moi. Ils me redonnaient courage quand je pleurais et me tenaient la main quand je me sentais sur le point de craquer. Je vais toujours me souvenir d'eux.

C'était difficile de marcher dans la salle de tribunal sans savoir où il était, sans savoir ce qui allait se passer. J'étais gênée. Tous les yeux étaient braqués sur moi et je ne m'attendais pas du tout à ça. Parce que j'étais devenue très proche de ma sœur et de ma mère, ç'a été difficile lorsque nous nous sommes séparées, lorsqu'elles n'étaient plus à mes côtés. J'étais seule et distante, et quand je suis entrée dans la salle d'audience, j'ai eu l'impression que les murs et les gens m'écrasaient.

J'ai senti que plusieurs personnes dans la salle voulaient que cette histoire ne soit qu'un mensonge. J'étais mal à l'aise et je m'en voulais chaque fois que je pleurais. Je ne voulais pas que ça arrive, pleurer à la vue de tous n'est pas mon genre. Je me sentais faible et petite. Je me forçais pour être le plus claire possible dans mes explications. Je n'étais pas là pour détruire la vie de Dave Hilton junior, j'étais là pour montrer l'impact négatif qu'il a eu sur mon existence. Si j'avais refusé d'aller à la cour, je sais qu'il aurait continué à nous pourchasser, à nous menacer et à nous faire du mal. Je devais m'y présenter, c'était un mal nécessaire.

Je voulais qu'il sache que je n'allais jamais être comme les autres filles. Que ma vie n'allait jamais être «normale», que la Anne Marie qu'il avait connue faisait partie du passé. Je l'ai recréée, elle a dix-neuf ans et elle est mariée. Et elle est une mère de famille qui doit encore dormir avec la lumière allumée, comme une petite fille de trois ans qui a peur de l'obscurité.

Je ne pourrai jamais oublier ce qu'il m'a fait. Plus je vieillis, plus je trouve difficile de vivre avec ces souvenirs-là. Je me force pour changer les choses. Je veux seulement être une personne normale qui vit une existence normale.

Avant le procès, j'étais inquiète de savoir qui allait me croire et qui n'allait pas me croire. J'ai entendu parler d'histoires d'enfants de cinq ans qui courent voir leur mère pour leur raconter ce qu'ils viennent de vivre. Pourquoi je n'ai pas été capable de faire ça à douze ans? Peut-être que je craignais de faire plus de mal que de bien. Peut-être que j'avais peur de faire de la peine aux gens que j'aime. Parce que j'ai attendu, parce que je n'ai pas parlé plus tôt, c'est ce genre de questions qui me hantent.

Skolnick: «Anne Marie, pourquoi ne pas avoir parlé? Tu es une fille brillante, tu savais que si tu avais crié, tu aurais pu attirer l'attention de quelqu'un, donc pourquoi ne pas l'avoir fait?»

Il y avait tellement de questions commençant par «Anne Marie» que ça me donnait le vertige et que j'avais envie de vomir.

Alors que je répondais aux questions, je reprenais de plus en plus confiance en moi. Je me suis tenue droite et j'ai affronté la douleur que j'ai éprouvée toutes les fois où on m'a fait sentir que j'étais une idiote. C'était ce que j'étais pour Dave Hilton junior, une idiote ; il ne cessait de me le répéter. J'étais un jouet pour lui, je me sentais une moins que rien.

Je me foutais de m'imaginer ce que les autres allaient penser de moi, ils ignoraient tout ce que j'avais dû endurer, ils n'avaient aucune idée de ce que c'était que de vivre dans des conditions pareilles. Personne ne peut savoir parce que personne ne peut être dans mes souliers. Cet homme hypocondriaque m'a rendue instable.

Qui m'a déjà dit que si ce genre de chose se produisait (les viols, les agressions physiques, etc.), je devais courir, le dire à mes parents et appeler la police ? Qu'advient-il si un des parents est le protecteur et l'abuseur en même temps ?

Je ne me pose pas trop souvent ces questions parce que je ne réussirai jamais à trouver des réponses. La seule chose que je peux faire maintenant est de m'assurer de ne plus jamais revivre ce calvaire. Je ne laisserai plus jamais personne m'abaisser. Si quelqu'un essaie, ce sera difficile pour lui parce que c'est vers le haut que je me dirige, pas vers le bas.

Jeannie

Le processus, pour moi, s'est divisé en deux parties : l'enquête préliminaire et le procès en tant que tel. Il a été assez dur pour moi d'aller raconter des dizaines de fois mon histoire aux policiers. Imaginez à quel point mes nerfs ont été mis à l'épreuve quand j'ai réalisé qu'il fallait que j'affronte mon père une autre fois.

C'est en février 1998 qu'Anne Marie et moi avons parlé à notre mère des abus dont nous étions victimes. L'enquête préliminaire était prévue pour fin mars, voilà ce dont ont eu l'air mes *Sweet Sixteen*.

Vivre sans notre père était une nouvelle expérience. Notre monde était totalement chamboulé, il était devenu « normal ». C'était à la fois agréable et étrange. Comment cela se faisait-il que tout était si facile ? Il n'y avait plus de ce stress qui nous tordait le ventre chaque seconde de notre vie. Nous travaillions comme des chiens pour faire vivre la famille, mais tout allait bien se passer, nous en étions persuadées.

Ma mère et moi nous levions très tôt pour aller nous entraîner au centre de conditionnement physique. J'avalais un verre de lait frappé aux protéines et j'étais prête à me défoncer dans la classe d'aérobie. Cela m'aidait à voir plus clair dans les épreuves que j'avais vécues et celles que j'allais vivre. Au rythme de la musique, mes mouvements exorcisaient les mauvais traitements dont j'avais été l'objet. C'était comme si chaque coup dans le vide que je donnais chassait les nuages de ténèbres qui m'entouraient et qui m'empêchaient de respirer. Cela me permettait de reprendre le contrôle de mon esprit. Plus personne ne pourrait se placer devant moi et m'empêcher d'avancer dans la direction que j'avais choisie.

Quelquefois, l'énergie positive des exercices durait toute la journée, parfois moins. Dans mes bons moments, je flottais sur un nuage. Le matin, je m'étais déniché un autre emploi, celui de plongeuse dans un restaurant. Le soir, j'étais serveuse dans trois différents établissements. Quand j'avais une baisse d'énergie, je travaillais comme un robot, en pensant à ce que mon père m'avait fait. J'avais alors l'impression de vivre mes émotions comme si j'étais dans une montagne russe qui n'arrête pas de descendre une côte. Je n'étais pas dans mon assiette et j'étais sans vie, comme si on me faisait faire mon travail en me téléguidant. À la fin de mon quart de travail, je marchais jusqu'à la maison, perdue dans les sentiers obscurs de mes pensées. Tous les «pourquoi» et les «comment» rebondissaient dans ma tête sans que je puisse les arrêter.

Au fur et à mesure que mon esprit reprenait la place qui lui revenait, ma mémoire renaissait. Je me rappelle m'être mise un parfum et cela m'a fait penser à mon père. J'ai essayé de combattre cette image et les sentiments violents que cela faisait naître, mais c'était trop. J'ai commencé à tousser, comme si des mains serraient ma gorge. J'étouffais. Me revenaient à la mémoire les traits de son visage et les mots durs qu'il me disait ou les surnoms qu'il me donnait: Sexy, Reine, GeGe, sa BooBoo, JeanJean. Je demandais à Dieu de m'aider à chasser ces pensées. Avec ces noms qu'on donne habituellement à des animaux de compagnie venait la sensation de ses mains sur ma personne, mains que rien n'arrêtait. L'idée de son corps et de son odeur corporelle me rendait malade. Je me précipitais sous la douche et même si l'eau était bouillante, je n'arrivais pas à faire disparaître son odeur. Toutes les saloperies qu'il m'avait faites, tous ces liquides corporels qui m'avaient éclaboussée avaient infiltré les pores de ma peau et je n'arrivais pas à m'en débarrasser. Je frottais le plus fort possible, sans résultat. J'étais intérieurement souillée pour la vie. Je n'arrivais pas à reprendre le contrôle de ma tête, trop envahie par la honte. Je me détestais pour tout ce que j'avais fait. Pourquoi tout cela s'était produit? Comment j'avais pu me laisser faire? Était-il si fort? Est-ce que j'aurais pu faire quelque chose? Rien!? Pourquoi je m'étais laissé faire? Je préférais mourir. Morte, je serais heureuse.

Là-bas, en Floride, je n'avais pas de vie, malgré les palmiers et la chaude brise du large. Mon passé me rattrapait.

Anne Marie avait commencé à se rebeller et ça m'inquiétait. Elle bourrait son soutien-gorge et couvrait son joli visage de maquillage. Elle fumait la cigarette, et ses manières étaient de plus en plus rudes. Elle me lançait constamment des pointes, elle me provoquait, disait que j'étais pathétique et faible, que je n'avais pas de vie devant moi, que je n'allais jamais changer que j'étais une «fille à maman». Dans le passé, cela lui aurait valu de ma part des coups de pied dans le derrière, mais, pour des raisons qui m'échappaient, je sentais qu'elle avait raison. J'étais devenue faible.

Vous le savez déjà, il y avait assez de preuves durant l'enquête préliminaire pour justifier la tenue d'un procès. Cela ne m'a jamais inquiétée. Cependant, ce qui me tourmentait était de faire face à mon père et à son équipe d'avocats. J'essayais d'imaginer les questions qu'ils pourraient me poser, les pièges qu'ils essaieraient de me tendre. Allaient-ils dire que tout était ma faute? Est-ce que j'allais être capable de supporter tout ça? Est-ce que j'allais passer pour une fille dévergondée? Est-ce qu'ils pourraient nous faire passer pour des menteuses alors que nous n'en étions pas?

Avant de quitter la Floride, j'ai fait mes adieux à mes camarades de travail et à mes amies. Je ne savais pas combien de temps j'allais rester à Montréal. Ma patronne de l'époque, qui était comme une grand-mère pour moi, m'a dit qu'elle ne pouvait pas comprendre comment mon père avait pu me faire traverser ce genre d'épreuve. Elle avait raison, pourquoi avait-il fait ça? C'était évident qu'un jour il allait se faire prendre.

Mon père est le genre de type qui aime jouer à toutes sortes de jeux, spécialement lorsqu'il s'agit de manipulation psychologique. Il en sortait toujours gagnant parce qu'il n'abandonnait jamais.

S'il avait admis ses torts devant la famille, probablement que nous ne serions jamais allées voir les policiers. Nous aurions trouvé un autre moyen pour nous en sortir. Si ç'avait été le cas, j'aurais pu me poser des questions sur ce qu'il m'avait fait et les raisons pour lesquelles il l'avait fait, mais il n'était plus question pour moi de faire des compromis. Je refusais de jouer au matelas qu'on jette après usage.

Au Québec, nous avons habité chez notre grand-mère Gatti. Elle était heureuse de nous avoir avec elle. Cependant, c'était étrange. Comment faisait-elle pour nous aimer encore, après tout ce que mon père avait dit à propos des Italiens? Nous avions été séparées depuis si longtemps que j'avais peur de la considérer comme une inconnue. Lorsqu'elle m'a serrée très fort dans ses bras, tout est devenu clair : elle m'a fait comprendre qu'elle ne nous avait jamais vraiment oubliées.

Ma mère et sa famille ont beaucoup pleuré. Des larmes ont été versées pour tous les Noël que nous n'avons pas passés avec eux, tous les coups de fil pour prendre de leurs nouvelles que nous n'avons jamais donnés et toutes les autres choses qu'on fait dans les familles «normales» et que nous n'avions jamais pu faire à cause de mon père. Tant de temps perdu, tant d'années où il nous a isolées parce que la haine qu'il avait pour la famille de ma mère était d'une infinie profondeur. Mais il n'a pas été assez fort pour tout détruire. Lui qui me donnait l'impression d'être si puissant devenait tout d'un coup inoffensif.

Mon oncle Fabrizio et moi avions grandi et nous ne nous disputions plus pour des jouets ou des billes. Nos retrouvailles ont été très chaleureuses. Je me sentais mal à l'aise en raison de la frénésie médiatique qui entourait l'inculpation de mon père, puisqu'elle avait inévitablement des répercussions sur la famille Gatti. Soyons honnêtes, j'avais plein de raisons de me sentir gênée.

Oncle Arturo a appelé le jour de la réunion familiale et il nous a dit qu'il allait être avec nous pour Pâques. Il nous a encouragées et a admis qu'entre lui et mon père, c'était fini, même s'ils avaient déjà été de bons amis. Il nous a assuré que nous étions courageuses. Il m'a dit de regarder mon père droit dans les yeux lorsque j'allais mettre les pieds dans la salle d'audience et de ne jamais les baisser. Nous avions raison, il avait tort.

Je me sentais aimée, sincèrement aimée. Je ne crois pas avoir ressenti ce sentiment auparavant. J'ai déjà pensé que les Hilton m'avait aimée de cette façon, encore plus même. Mais tout cet «amour» était malsain. Je n'avais jamais vécu une «vraie» vie avec de «vraies» personnes. Je sentais que j'étais l'héroïne d'un conte rempli de personnages égocentriques et méchants avec des événements sordides. Le Dunkin' Donuts, les batailles dans les bars et les rues, les menaces adressées à des gens innocents, les femmes, les amateurs, cette liste pourrait s'allonger pendant des pages.

Faisant partie de cette histoire, ma mère ne cessait de s'excuser pour tout, elle le fait d'ailleurs encore aujourd'hui. Je n'ai jamais douté de sa parole, je sais qu'elle nous a toujours aimées à sa manière, mais elle était paralysée par la manière dont mon père la traitait. Elle n'a jamais eu la chance de nous élever. Ma sœur et moi avons beaucoup souffert, je n'ai aucun doute que ç'a été le cas de ma mère aussi. La seule différence, malheureusement, est que nous étions des enfants alors qu'elle était adulte.

La deuxième fois que nous avons rencontré Hélène Di Salvo, elle nous a expliqué ce qui nous attendait, où nous allions nous asseoir, que notre père se tiendrait derrière nous (ce qui a eu pour effet de faire claquer mes genoux de panique). Nous lui avons demandé s'il y avait d'autres manières de procéder, mais elle nous a répondu qu'en raison de notre âge, c'était la seule option. Nous devions être des témoins efficaces aux témoignages forts. Cependant, je ne crois pas que nous étions aussi fortes qu'Hélène. Je la voyais comme une femme sans peur. J'aurais aimé être comme elle. Elle était à la fois favorable à notre cause et tranchante. Elle nous disait toujours la vérité ; avec elle, il n'y avait pas de faux-fuyants. Le fait qu'Hélène soit une femme nous a beaucoup aidées. Nous devions être les plus précises possibles, comme lorsqu'il a fallu qu'on décrive en détail le pénis de Dave Hilton junior. C'était embarrassant.

Au Québec, les premiers à entendre notre histoire ont été le détective Gilles Lafrance et ses collègues Joanne et Gilles. Ce n'était pas comme les policiers de la Floride. Les limiers québécois étaient plus chaleureux, je ne sais pas vraiment pourquoi. Peut-être savaient-ils qui j'étais et que je ne jouais pas la comédie, qui sait ? C'était du sérieux. J'ai beaucoup aimé collaborer avec eux et je sais qu'Anne Marie et moi allons toujours les considérer comme des héros et des amis.

En Floride, lorsque nous nous entretenions avec le détective Ray Athesianno et ses collègues, ils nous écoutaient, mais étaient perplexes. « D'accord, mettons les choses au clair, ton père t'a battue, il a battu ta sœur et ta mère, et c'est un boxeur professionnel qui a des relations avec des criminels connus au Québec, c'est ça ? » Notre histoire était invraisemblable, je ne pouvais pas leur en vouloir de lever les yeux au ciel de temps en temps.

Notre histoire était sordide, mais elle l'était encore plus au Québec parce qu'elle impliquait une « vedette » qui était populaire auprès du public. Quand je me remémore ses combats et ses conférences de presse, je réalise à quel point mon père était aimé. Il passait même pour un modèle. Les gens changent, et pas toujours positivement, ce qui est le cas de mon père. L'image du vieux Dave, celui du bon gars, est morte et ne ressuscitera jamais. C'est une personne qui a de profonds problèmes psychologiques dont il est responsable ; du moins pour la plupart, car il y en a aussi, je m'en rends compte aujourd'hui, auxquels il ne peut rien.

La veille du début de l'enquête préliminaire, nous avons reçu d'étranges appels téléphoniques. Dave Hilton junior était en état de panique !

Il demandait à des gens de nous appeler et on pouvait l'entendre en bruit de fond leur préciser ce qu'ils devaient dire ou ne pas dire. Il voulait que nous laissions tomber. Il nous disait qu'il allait chercher l'aide dont il avait besoin et que nous n'avions qu'à laisser tomber les accusations. Il a même envoyé au bureau des avocats qui s'occupaient du divorce de ma mère des gens pour la menacer. Nous avons déjeuné avec un avocat affreux qui ne cessait de nous dire de tout abandonner, que mon père allait nous donner de l'argent et que cela allait régler tous nos problèmes. J'étais très en colère, j'avais seize ans et j'étais venue à Montréal pour faire un changement positif dans nos vies. Je me foutais des supplications de mon père. Ses mensonges et ses « désolé, je ne le referai plus » m'avaient trop fait souffrir.

Mensonges ! Toujours des mensonges ! Dave Hilton junior est un menteur pathologique et, comme tous ceux qui souffrent de cette maladie, il croit dur comme fer ce qu'il dit. Il n'était plus question pour moi de le croire. J'allais lui rendre la monnaie de sa pièce. Est-ce qu'il s'en faisait lorsque Anne Marie et moi pleurions, lorsque qu'il faisait saigner ma mère, lorsque nous allions à l'école avec des yeux au beurre noir et des lèvres enflées ? Nous n'étions pas des boxeuses, rien ne justifiait qu'il nous traite de la sorte.

Ma mère avait peur et était amorphe. Cette fois-là, je lui en voulais. J'ai décidé de prendre des rênes de la famille. C'était exactement comme si, après la mort du père, le fils aîné prenait sa place. J'allais m'assurer que notre père n'allait jamais revenir et qu'il allait payer pour ce qu'il avait fait à notre famille. Je pensais tout particulièrement à mes petits frères qui allaient ou non suivre ses traces. Il fallait que ça s'arrête.

« Mes enfants, lorsque papa s'en va, soyez gentils avec votre mère chaque jour. Faites ce que votre mère vous demande et ne commettez jamais de péchés, soyez ce que votre père aurait pu être. » C'est une chanson que mon père me chantait quand j'étais petite et, pour une raison que j'ignore, j'y pense souvent. Savait-il qu'un jour il allait déserter sa famille ? Qu'il allait nous utiliser comme du papier hygiénique avant de nous jeter dans la cuvette et de tirer la chasse ?

Même si mes mignons petits frères étaient jeunes, je sais qu'ils ont dû endurer des abus. Ils ne vont probablement jamais oublier. Pour ce qui est de ma sœur, eh bien, je vais toujours me sentir coupable de n'avoir pas tout révélé avant qu'il ait pu mettre la main dessus. C'est pénible de vivre avec ça sur la conscience. En plus des factures à payer et des petites misères de la vie de tous les jours, je dois composer avec ça. J'imagine que la battre n'était pas suffisant pour lui, il fallait aussi qu'il l'agresse sexuellement.

Le jour de l'enquête préliminaire est arrivé et je ne me rappelle pas avoir vu mon père. Cependant, je me souviens que mon grand-père et ma grand-mère Hilton étaient là. D'ailleurs, j'ai le souvenir d'entendre et de voir ma grand-mère Jean pleurer. Pour qui étaient ces larmes ? Nous ou son fils ?

Par la suite, nous sommes retournées en Floride, mais pas aussi aisément que nous l'avions prévu, car nous avons des problèmes avec le service d'immigration. Ma mère a dû passer quatorze jours au centre de détention Krome parce que « quelqu'un » a affirmé que nous étions aux États-Unis illégalement. Nous avons été menacés d'être expulsés au Québec. On nous a dit que le « quelqu'un » qui avait signalé notre cas avait des relations. Il ne nous a pas fallu beaucoup de temps pour déterminer d'où cela venait.

Encore une fois, nous étions misérables. J'ai dû remplacer ma mère au restaurant où elle travaillait en tant que gérante. Quand j'allais donner les commandes dans la cuisine, j'en profitais pour pleurer. Je pensais que cette vie allait toujours nous faire souffrir et que nous allions toujours être prisonnières de la malchance.

Un après-midi, je suis allée porter l'argent du loyer à notre propriétaire. Il n'était pas là, mais son fils était présent. Alors que je lui remettais l'argent, il m'a demandé si j'allais bien. Je lui ai alors expliqué ce qui était arrivé à ma mère. Il m'a pris dans ses bras et j'y suis restée pendant quelques minutes, le temps de verser toutes les larmes de mon corps. Avec lui, je me sentais en sécurité. Pour la première fois de ma vie, j'avais besoin qu'on me dise que tout allait bien se passer, j'avais besoin d'y croire. Je suis devenue une bonne amie du fils du propriétaire. Il avait une influence positive sur moi, le courant passait entre nous. Il me faisait sans cesse rire, il parvenait à me faire oublier ma misère. Le matin, en me levant, j'avais hâte de le voir. J'avais un véritable ami, qui, en plus, était un homme. Jamais il ne m'a regardée ou ne m'a traitée comme si j'étais le «sexe faible». Il me considérait probablement comme sa petite sœur. Il était protecteur et savait ce que nous avions dû traverser comme épreuves.

Ma mère est sortie du pénitencier Krome parce qu'elle a raconté notre histoire aux fonctionnaires américains. Nous avions droit à une «liberté conditionnelle humanitaire», une permission qui permet à des gens de rester aux États-Unis si leur sécurité est menacée dans leur pays d'origine. Nous faisons toujours des démarches pour obtenir notre permis de résidence permanente aux États-Unis.

Une année est passée et j'ai eu dix-sept ans. Je m'entraînais toujours et je donnais des cours d'aérobic. Je fréquentais le soir une école pour adultes afin d'obtenir mon diplôme d'études secondaires. Même assise dans la classe, j'étais en colère contre mon père. Pourquoi je ne pouvais pas, comme toutes les filles de mon âge, aller dans l'école «normale»? Ah oui, c'est vrai, je me rappelle: c'est parce que mon père a décidé de me retirer de l'école à treize ans. J'avais beaucoup de travail à faire pour pouvoir rattraper les autres, sauf en lecture et en écriture. Quand mon père n'était pas là, j'imagine que je me suis en quelque sorte éduquée en me plongeant dans des livres.

Mon meilleur ami était parti travailler outre-mer et cela me déprimait. Nous nous échangions des lettres et des courriels, mais ce n'était pas comme s'il avait été là avec moi. Je lui ai un jour dit que j'allais devoir retourner au Québec pour le procès. Il s'est excusé de ne pouvoir être là et me soutenir.

Le vol pour me rendre à Montréal a été désagréable; je venais d'embarquer dans un avion qui me menait tout droit aux enfers. Sauf que, cette fois-ci, c'était pour faire taire le diable une fois pour toutes. Je savais que ça allait être plus difficile avec tous ces médias qui allaient bourdonner autour de nous. J'avais entendu dire que le World Boxing Council avait retiré la ceinture de champion du monde à Dave Hilton junior. Sur le coup, j'ai eu pitié. J'ai regardé le combat qu'il a mené contre Thobela et je dois avouer que c'est l'un des plus pathétiques que j'aie jamais vus. Les deux étaient lents. Malgré tout, j'ai été contente qu'il ait pu mettre la main sur la ceinture de champion du monde. Cela a mis un terme à sa carrière de boxeur positivement. C'est toujours ce qu'il a voulu et Dieu a exaucé son vœu, mais ça n'a pas de rapport avec lui, seulement avec son talent naturel. En fait, son talent méritait mieux. Quoi qu'on en dise, la carrière de mon père est finie.

Chaque fois que nous allions à Montréal, ma mère nous demandait quel disque compact nous voulions emporter pour le voyage. La musique a toujours fait partie de nos vies et c'est probablement pourquoi nous avons réussi à traverser toutes les épreuves que nous avons trouvées sur notre route. Et il y a Dieu, bien entendu.

Je ne m'étendrai pas longtemps sur le sujet et je vous assure que je ne suis pas une *Jesus Freak*. Mais quand plus rien ne va et que votre vie est un enfer, il est bon de croire en quelque chose de supérieur à nous. Dieu nous a donné des talents et des cadeaux, et on ne sait pas à quoi ils vont servir jusqu'à ce que des événements surviennent et nous forcent à les exploiter. Maintenant que je suis mariée et que j'ai des enfants, je comprends à quoi ils servent.

Ma mère allait au magasin de disques et ne revenait pas avant d'avoir trouvé ceux que nous lui avions demandés. Je crois que nous en avions quatre chacune, mais nous en avions vraiment besoin. Pour ma mère, c'était une superstition.

Avant chaque combat de mon père, elle allait acheter une robe et, tant et aussi longtemps qu'elle n'était pas satisfaite, elle cherchait. Nous avions besoin de certaines chansons pour nous remonter le moral et nous donner le courage d'affronter le diable et les démons intérieurs qu'il avait laissés en nous.

Mon oncle Arturo a mentionné, malgré les combats de boxe intenses qu'il a menés dans sa carrière, qu'on allait affronter le plus fort d'entre tous. Je m'en souviens très bien et je l'aime pour nous avoir dit ça. Arturo a toujours été un homme très occupé et sa carrière est impressionnante. Contrairement à mon père, il n'est pas une étoile que sur le ring, il l'est aussi à l'extérieur. Mais je sais qu'il est assez intelligent pour que la gloire ne prenne pas le dessus sur lui. Et je crois qu'il a appris de l'histoire de mon père. Il semble que la boxe fasse partie intégrante de notre destinée; même si les Hilton ne font plus partie de notre vie et qu'ils ne se battent presque plus (sur le ring, en tout cas), nous restons très proches des Gatti. Maintenant, quand je regarde Arturo boxer, je comprends tout le travail qu'il y a derrière sa technique et la force de ses coups. Et il est vrai de dire que tous les boxeurs sont différents. Je me trouve chanceuse d'avoir grandi dans cette atmosphère sportive, entourée d'athlètes aussi talentueux. Leur présence a instillé en moi du bon. Même si c'est un sport violent, ce n'est pas que ça; il s'agit aussi de discipline, de partenariat avec des collègues d'entraînement, de désir de devenir un gagnant, d'apprendre à gagner et à perdre, de maintenir la même intensité dans nos ambitions, les buts qu'on veut atteindre et les épreuves qui nous empêchent d'y accéder facilement. Une vedette au haut d'une carte de boxe attire les foules, et ces foules veulent être émerveillées, ce qui n'est pas chose facile. C'est ça, la boxe: rayonner, mais juste quand c'est fait dans la droiture. Si on respecte cela, comme on dit en anglais: *the sky is the limit*. Le Bon va toujours vaincre le Mauvais, c'est comme ça depuis la nuit des temps. Pourquoi cela devrait être différent quand on parle de Dave Hilton junior?

Je me rappelle les attentes que j'avais à l'époque du procès. J'étais plus vieille et plus calme et maintenant habituée à ce que des étrangers écoutent mon histoire, une histoire qui n'allait pas changer.

La cour nous a fait parvenir les transcriptions de nos témoignages pendant l'enquête préliminaire, je ne sais trop pourquoi. Les policiers nous ont demandé si nous les avions lues. Oui, nous l'avions fait. C'est assez particulier comme lecture. Tout est transcrit, même les petits moments d'hésitation, les soupirs, les respirations ou les mots mal choisis en raison de la nervosité. Ce n'était pas de la grande littérature. Ça ressemblait à ceci: «Alors… euh… Jeannie… (toussotement), oui, alors, où était… euh… ta mère, où était ta mère quand (toussotement), excuse-moi, lorsque tu étais seule avec ton père?» Ma réponse:

«Maître Skolnick, euh… encore une fois je répète qu'elle, qu'elle, qu'elle était au travail alors que j'étais dans l'ambre [au lieu de dire «dans la chambre»].» Vous pouvez constater qu'il est difficile de se rappeler tout ce qui a été dit pendant l'enquête préliminaire. En fait, c'est impossible. Des fois, on parlait trop vite; des fois, on murmurait; et des fois, on utilisait des mots qui pouvaient porter à confusion. La raison pour laquelle je vous en parle est que le premier problème auquel on a dû faire face est la tendance de maître Skolnick (le deuxième avocat de mon père) de tout disséquer pour trouver une faille. Sa théorie était que tout était une histoire inventée et que notre mère nous avait lavé le cerveau pour qu'on raconte tous ces mensonges. Que nous étions des menteuses professionnelles et que nous faisions tout cela pour avoir de l'argent. Bien entendu, il n'était pas facile de répondre à ce genre d'attaque.

Skolnick a affirmé que, peut-être, nous avions provoqué et aimé ces abus. Que peut-être ma mère était complice de mon père. Ses insinuations m'ont fait mal parce que je savais que si ma mère écoutait, cela la dévasterait. Si elle avait vraiment aidé mon père, je ne serais pas là aujourd'hui pour raconter mon histoire. Je n'aurais pas été capable de vivre avec ce fardeau supplémentaire. Il est assez difficile d'être maltraitée et rejetée par un parent. J'ai beaucoup de sympathie pour les gens qui ont vécu la même situation et qui n'ont pas pu s'en sortir parce que la mère était complice (en faisant semblant de ne rien voir, par exemple).

Souvent, j'ai entendu des gens demander comment ma mère avait fait pour ne rien remarquer. Eh bien, c'est vrai, elle n'a rien vu! Je me suis déjà demandé comment elle faisait pour ne pas se rendre compte que j'étais si malheureuse ou pourquoi je pleurais tant. Elle était là, mais de corps seulement. Nous étions comme des robots qui effectuaient chaque jour ce qu'on leur demandait sans poser de question, que ce soit bien ou mal, espérant qu'un jour cela cesserait et qu'il nous resterait juste assez de vie pour raconter notre histoire.

J'ai été en cour pendant quatre jours. Pendant les pauses, je me cachais dans une petite salle à l'abri des médias avec Hélène Di Salvo et Gilles Lafrance, qui me demandaient de respirer profondément. Ils me disaient que j'étais une dure, que j'étais en train de gagner et qu'il allait perdre, qu'il avait très peur intérieurement même s'il ne laissait paraître aucune émotion. Quelquefois, je les croyais, à d'autres moments, non. Je me sentais découragée et j'avais l'impression que tout ça était vain. L'homme que j'affrontais n'avait pas de cœur, c'était une évidence, il ne ressentirait jamais rien. Je me rappelle la fois où il m'a dit au palais de justice que mon derrière grossissait. Que j'étais une très belle femme, mais que je n'étais pas sa fille. Cela m'a fait mal et ne m'a pas atteint en même temps. Encore une fois, il essayait de jouer avec mon esprit, pour le plaisir de voir s'il avait encore du pouvoir en disant «tu es belle», mais en ajoutant «mais tu es une traître et ma fille ne m'aurait jamais trahi». Il n'y aura jamais aucun moyen de faire prendre conscience à cet homme à quel point il a fait du mal. Il ne prendra jamais conscience du fait que nous n'étions que des enfants et qu'il nous a trahies. Nous lui faisions confiance et il en a profité pour nous emprisonner dans un petit trou d'enfer. Il nous a isolées des autres êtres humains, y compris de notre mère.

Il me répétait que j'étais sa favorite et qu'il ne pouvait expliquer pourquoi. J'étais «différente» et «particulière», à son avis. J'ai vite réalisé que je ne voulais pas être à ses yeux «particulière». Je n'ai jamais pu comprendre comment un parent faisait pour avoir un favori. Est-ce que j'étais sa favorite parce que j'étais plus faible et que j'avais plus peur que les autres? Peut-être que j'étais plus discrète, surtout quand venait le temps de cacher sa drogue ou ses armes à feu? A-t-il réalisé un seul instant qu'il avait fait de moi sa partenaire dans le crime?

Quand il était en état d'ébriété, il parlait sans cesse. Il me disait qu'il aurait tant voulu que je sois un garçon, que tout aurait été plus facile. D'autres conversations étaient plus crues et il tenait des discours qui reflétaient la dure réalité de le côtoyer tous les jours. C'était de la démence. «T'es mieux d'entrer dans ta putain de petite tête que tu ne vas jamais baiser avec moi, et si tu le fais, t'es mieux de m'achever parce que sinon, c'est moi qui va te tuer. J'ai vu mon frère aller six pieds sous terre, ça ne me fera pas peur de te voir là.»

On avait peur. La peur était notre pain quotidien. Quand je dis «nous», je parle des cinq: ma mère, ma sœur, mes deux petits frères et moi. J'ai vu mon père donner un coup de pied à Jackie, mon frère, alors qu'il n'avait que trois ans. C'est moi qui ai nettoyé la plaie sur sa bouche et qui ai lavé les serviettes pleines de sang. Encore aujourd'hui, il porte une cicatrice bien visible.

Je l'ai vu fouetter mon frère Davey, alors âgé de deux ans, avec un cintre en plastique pour les manteaux jusqu'à ce qu'il éclate en morceaux. La peau de mon frère était déchiquetée. Il ne pleurait pas. Le petit Davey ne pleurait jamais. Il me regardait et je le prenais dans mes bras pour m'occuper de lui.

Les garçons ont toujours été mes bébés. Je les ai élevés seule. Je leur en voulais d'exister, parfois (j'étais une adolescente), mais je les aimais tellement! Je voulais les sortir de ce bourbier, je me disais que nous allions un jour être libres comme ces oiseaux qui s'envolent l'automne pour rejoindre le soleil dans le Sud.

Au quatrième et dernier jour de mon témoignage, mes yeux piquaient par manque de sommeil et parce que j'avais beaucoup pleuré. Les gens ne réalisent pas qu'on ne pleure pas seulement quand nous témoignons, on pleure aussi à l'extérieur, quand nous sommes seules face à nous-mêmes. C'était comme si on devait revivre un cauchemar encore et encore. Vous ne pouvez pas manger parce que votre corps rejette tout ce que vous lui donnez.

Notre mère a fait de son mieux pour nous consoler et grand-mère Gatti nous préparait des infusions de camomille parce que le café nous rendait trop nerveuses. Elle est Italienne et elle croit que la nourriture peut aider à guérir l'âme. Elle réussissait à nous faire rire, malgré les circonstances. Heureusement, il y a une fin à tout.

Avant de partir pour le tribunal le dernier jour de mon témoignage, j'ai reçu deux cadeaux: une superbe gerbe de fleurs et un appel téléphonique de mon meilleur ami qui était à l'autre bout du monde. Il voulait me souhaiter bonne chance et m'a demandé si j'avais reçu les fleurs. Je lui répondu oui et j'ai senti une chaleur dans sa voix qui m'a rassérénée. Il me rendait heureuse. Quoi? Un homme qui me rendait *heureuse*? C'était possible? C'était si étrange, je ne pensais jamais que cela pouvait m'arriver. Il m'a dit qu'il passait sa dernière semaine en Italie et qu'il attendrait avec impatience mon retour en Floride.

Plus Skolnick me posait des questions, plus je me sentais forte et confiante. La première question qu'il m'avait posée, le premier jour («Est-ce Dave Hilton est votre vrai père?»), m'avait ébranlée. J'avais répondu qu'il était évident qu'il était mon vrai père vu que, notamment, la ressemblance était frappante. Skolnick m'avait fait pleurer.

La dernière chose que Skolnick m'a demandée le quatrième jour m'a mise hors de moi. J'étais enragée. Il a dit: «Jeannie, vous semblez être une très gentille fille, alors, s'il vous plaît, admettez que vous avez tout inventé parce que votre mère était en colère contre votre père, n'est-ce pas?» Avec colère, j'ai répondu: «Si vous le dites, monsieur Skolnick!» C'était une réponse stupide, je le reconnais, mais j'en avais marre de lui et je n'aurais pas pu avoir un échange courtois avec lui ce jour-là. Je venais de réaliser qu'il défendait Dave Hilton junior. Personnellement, je n'aurais jamais été capable de me porter au secours d'un homme comme mon père, cela m'aurait rendue malade et aurait fait de moi un être humain qui ne valait pas mieux qu'une pédophile.

Je me rappelle que les deux juges qui ont entendu notre histoire (un pour l'enquête préliminaire, l'autre pour le procès) ont facilité le processus. Durant son plaidoyer, Skolnick a affirmé que, malgré les nombreux abus, tout allait bien maintenant vu qu'il n'y avait eu aucune grossesse ou aucun avortement, aucune maladie transmissible sexuellement. Je n'en croyais pas mes oreilles.

J'ai vite compris que lorsqu'il s'agit d'un procès lié à l'inceste, l'accusé va obtenir automatiquement une sentence moins lourde. Je ne comprends vraiment pas ce principe de loi. Je sais que si j'avais été violée par un inconnu dans la rue, ç'aurait été plus facile pour moi de m'en sortir. Quand il s'agit de son père, c'est une aberration qui dérange profondément un esprit.

Oncle Jimmy, pendant le procès, est allé voir ma mère et ma sœur, leur a donné l'accolade et les a consolées. J'ai appris plus tard qu'il leur avait aussi dit : « Dave n'est pas là » (en sous-entendant qu'il n'était pas sain d'esprit) et cela m'a fait sentir que quelqu'un dans la famille Hilton était normal. J'ai été désolée d'avoir raté ça. J'ai toujours été très proche de Jimmy et si jamais je le revois par hasard un jour, qui sait, peut-être allons-nous prendre un café ensemble. Même chose pour Alex, qui ne s'est jamais présenté en cour. Je ne sais pas si c'est parce qu'il ne voulait pas être mêlé à cette histoire ou parce qu'il n'avait aucune crédibilité. En tout cas, j'ai entendu dire qu'il commençait une nouvelle vie et je lui souhaite la meilleure des chances.

J'ai appris que Matthew Hilton, mon oncle préféré que je considérais comme mon prince (un prince qui s'est transformé en crapaud) a témoigné en faveur de mon père. Un jour, alors que je me faufilais entre les caméras et les journalistes, j'ai senti qu'on m'observait. J'ai tourné la tête et j'ai vu que Matthew me regardait. Son regard était curieux et sympathique. Avec froideur, j'ai continué mon chemin. Je me sentirai toujours désolée pour lui. Désolée qu'il ait été exploité et mis aux rebuts par la suite. Il doit maintenant vivre dans le « vrai » monde alors qu'on ne le lui a jamais enseigné. J'imagine que ses parents ont tout simplement oublié ? Si je croise une autre fois son regard, je vais en profiter pour embrasser le crapaud et lui dire de s'aimer davantage.

Pour ce livre, je crois que ç'aurait été bien qu'il y ait des photos de famille. En raison de circonstances sur lesquelles je n'ai aucun contrôle, ce n'est pas possible. Toutes les photos que nous avons de notre passé sont dans la famille Hilton. J'ai contacté mes grands-parents Hilton et ils m'ont promis de faire de leur mieux pour me satisfaire. Malheureusement, les photos ont été détruites lors d'une inondation qui a eu lieu dans un local qu'ils avaient loué pour entreposer des affaires. Je ne sais pas si je dois les croire. Si ce qu'ils affirment est vrai, je me dis que le passé appartient au passé et qu'il ne sert à rien d'y revenir. J'ai dit à grand-mère Jean que l'amour existe encore, mais je me sens incapable de l'appeler et de lui parler du temps où j'avais huit ans ou des moments que j'ai passés à me déguiser avec ses vêtements dans son sous-sol. Ça me fait mal d'agir de la sorte, mais certaines personnes refusent de vivre dans le présent et d'accepter la vérité. Je ne suis pas ce genre d'individu.

Tous les jours, je dois apprendre à vivre avec moi-même et c'est une des choses les plus difficiles. Après une tempête, il y a des dégâts. Et je fais partie de ces dégâts. J'aimerais que la famille Hilton réalise cela. Certains événements ne font que passer, d'autres restent ancrés. Dans ma vie, j'ai reçu des milliers de coups et j'ai la chance que cela n'ait pas créé de dommages à mon cerveau. Aujourd'hui, je fonce et ne me laisse plus marcher sur les pieds. Je suis une jeune femme de vingt et un ans qui n'est pas près de mourir. Je me demande parfois si je pourrais revivre les mêmes traumatismes et m'en sortir sans trop de dommages. La réponse est non, je ne pourrais pas. Il y a des moments où j'ai été à genoux, tremblotante, avec l'impression d'être en train de mourir. Et il y avait quelqu'un avec moi, une présence qui me donnait le courage de me relever. Cette présence, c'était Dieu. Je ne dis pas que c'était quelque chose de concret, mais c'était Dieu. Il était là, avec moi.

Bref, ma dernière journée avec Skolnick n'a pas été ma meilleure. Hélène Di Salvo s'est levée à un moment donné et a demandé à la juge d'excuser mon tempérament bouillant. «Jeannie, s'il vous plaît, veuillez répondre à la question», m'a demandé la juge, et j'ai compris que je devais aller droit devant. Donc, je devais répondre à la question de Skolnick: «Jeannie, vous semblez être une très gentille fille, alors, s'il vous plaît, admettez que vous avez tout inventé parce que votre mère était en colère contre votre père, n'est-ce pas?»

Vous vous rappelez lorsque Dave Hilton junior m'a fait un clin d'œil? Je me suis tournée et j'ai fait face à mon père qui avait l'air d'avoir perdu son sang-froid. La situation semblait l'avoir mis en état de choc. Il était mal à l'aise. Puis il a dit: «Hey! Elle essaie de me menacer!» (sans blague).

J'ai répondu à la question du mieux que j'ai pu. «Votre Honneur, depuis que mon père est hors de nos vies, tout va mieux. J'ai beaucoup appris. Je ne savais pas que la vie pouvait être si belle et si simple. J'ai appris que je pouvais dormir tranquillement la nuit et ne pas avoir peur que quelqu'un entre dans ma chambre. Je peux maintenant penser par moi-même, je vais à l'école et je n'ai pas peur d'entrer à la maison et me faire battre et me faire souiller. On se fout que Dave Hilton junior soit condamné à dix ou à un an de prison, les dommages sont déjà faits, je ne serai plus la même. La seule chose que je désire est d'être heureuse avec ma famille. » Et, finalement : « Votre Honneur, je ne suis pas une menteuse et je n'ai jamais menti à cette cour, je veux simplement que le cauchemar cesse. »

Voilà, enfin, c'était fini ! J'ai quitté la barre des témoins et j'ai senti que c'était mon moment de gloire. Même si les gens ne pouvaient applaudir, ils en avaient le goût. La petite fille en moi avait fini de souffrir. Je pouvais la déposer dans sa tombe et elle pouvait reposer en paix, sa dernière volonté avait été exaucée : la Justice avait triomphé.

Plus jamais je n'aurais à m'asseoir devant de parfaits étrangers et à m'exposer de la sorte. Je me rappelle un jeune homme assis derrière moi, je ne sais pas pourquoi il était là, mais sa présence m'a gênée encore plus que je ne l'étais. Il semblait très curieux et essayait toujours de regarder mon visage. Je me suis tournée un peu, je l'ai vu et cela m'a réconfortée parce que j'ai senti qu'il y avait de l'innocence quelque part dans la salle. Je voulais l'éduquer, lui montrer l'exemple, lui montrer qu'il y avait eu un crime et que ce crime allait être puni par la loi et que j'allais m'en sortir. J'ai senti que lui aussi, peut-être, avait vécu la même chose que moi…

J'ai espéré aussi qu'il n'assistait pas au procès parce que Dave Hilton junior était son héros. Si c'est le cas, j'espère qu'il a compris que, parfois, les choses ne sont pas telles qu'elles paraissent, que les vrais héros étaient des gens comme son père et sa mère, le genre de parents que j'ai toujours voulu avoir. De grands travailleurs, des gens qui savent donner de l'amour et qui voulaient qu'il aille à l'école et qu'il savoure sa jeunesse.

J'ai marché jusqu'à la cafétéria, m'échappant encore une fois des caméras qui me braquaient et m'illuminaient de leurs éclairs, malgré l'interdiction de la cour de révéler mon identité. Un des photographes ne cessait de courir après nous (le détective Lafrance et moi), il se plaçait devant nous et n'arrêtait pas de nous bombarder à un point tel que ça m'aveuglait. J'ai pu enfin me rendre à la cafétéria et alors que j'attendais mon tour pour remplir mon plateau, je sentais un regard rivé sur moi. Et rappelez-vous que je devais être prudente parce qu'il n'était pas improbable que je coure un danger.

Des étrangers venaient me voir et m'abordaient ouvertement pour me dire à quel point j'étais courageuse et pour me dire qu'ils assistaient au procès pour me soutenir. J'étais parfois surprise qu'ils aient réussi à me trouver ; une dame m'a même approchée alors que j'étais à l'extérieur avec ma grand-mère Gatti. Des fois, ça faisait peur.

Je fais donc la file pour remplir mon assiette et je sens un regard qui se fait insistant. Je regarde et… C'était un homme dont le visage me paraissait familier, il portait un costume et tenait un porte-documents, il se fondait avec les autres avocats… Où l'avais-je déjà vu ? Puis, comme si j'avais reçu un coup de poing, j'ai réalisé. C'était lui !

Mon ami !

Il était là ! J'étais complètement absorbée par son apparence et par le fait qu'il avait pris la peine de faire le voyage d'Italie à Montréal pour moi et… et… qu'il m'avait menti au téléphone !

J'ai oublié tout ce qui m'entourait, y compris Gilles qui m'accompagnait pour assurer ma sécurité. Même si je ne devais pas sortir de la masse, que je devais rester tranquille et ne pas attirer l'attention, je me suis lancée dans la direction de mon ami. Je le connaissais depuis toujours, c'était mon voisin ! En me voyant me jeter sur lui, il a paru gêné. Je l'ai serré dans mes bras, c'était plus fort que moi, je devais le faire. Je me suis excusée auprès de Gilles pour l'avoir interrompu alors qu'il me racontait une blague. Il a ri et m'a dit qu'il comprenait. Il a ajouté que c'était la première fois qu'il me voyait aussi heureuse, que l'« étranger » était magnifique et que s'il avait été à ma place, il aurait fait la même chose ! Il avait un bon sens de l'humour, ce policier !

La même journée, après que ma mère et ma sœur ont témoigné, la vie est devenue meilleure parce que nous en avions fini avec ce procès. Nous avons été informées que nous allions recevoir la transcription du procès en entier par la poste, ainsi que la sentence. Ça ne nous intéressait pas de lire ce que la famille Hilton avait à dire pour la défense de mon père. Tous ces mensonges, ç'aurait été trop. Aussi loin que je me rappelle, mon père a toujours été le membre de la famille le plus méchant, tous les Hilton le savaient. Avec toutes ces accusations de viol, comment pouvaient-ils continuer à le soutenir? Ça ne m'a pas surprise, mais ça m'a dévastée. Savoir que mes grands-parents étaient derrière mon père a brisé mon cœur. Ils connaissaient la vérité, que faisaient-ils là? Qu'avaient-ils besoin d'entendre de plus? Je leur avais dit ce que j'allais faire et je l'ai fait (je parle de mon témoignage) et ils approuvaient la dénonciation de ma mère.

C'est leur fils et il doit être très difficile d'accepter qu'il soit un monstre qui est maintenant enfermé dans une cellule.

J'ai été informée par le département Sunny Isle de la Floride que, une fois qu'il sera sorti de prison, nous pourrons, si nous avons l'impression que nous n'avons pas été bien servies par la justice québécoise, encore une fois porter plainte contre Dave Hilton junior. Ici, aux États-Unis, sa sentence sera beaucoup moins clémente. Nous y avons pensé, surtout quand nous passions de mauvaises journées et que nous les mettions sur le compte des abus que nous avions subis.

Honnêtement, il pourrait passer des milliers d'années en prison et ça ne pourrait pas effacer les traces indélébiles qu'il a laissées en nous. Sa vraie punition, ce n'est pas d'être emprisonné à la Macaza. Non: il devra vivre, une fois sorti de prison, avec le regard des autres, notamment celui des gens comme moi qui ont subi des agressions sexuelles à répétition. Lorsqu'il va marcher dans la rue, les gens, au lieu de lui demander un autographe, vont poursuivre leur chemin. Et au lieu de rentrer dans un restaurant pour manger, il va devoir utiliser le service à l'auto. À mon avis, cela est plus dur que toutes les sentences d'emprisonnement du monde. Vivre jour après jour avec soi et savoir que tout le monde sait maintenant qui est le vrai Dave Hilton junior. Peut-être va-t-il réaliser que l'inceste est un vrai crime et que ce qu'il nous a fait était mal? Il n'avait aucun droit de traverser les frontières qu'il a traversées. Il n'avait pas le droit de prendre des décisions à ma place comme il l'a fait.

Je me rappelle une chanson bébête qui était sur une vidéocassette qu'on nous montrait à l'école dans nos cours d'éducation sexuelle. J'étais en quatrième année du primaire et je croyais connaître la différence entre le bien et le mal. La chanson disait : «Mon corps, c'est mon corps, ce n'est pas le tien, tu as le tien, alors ne touche pas le mien.»

Je me souviens que tous mes camarades s'étaient esclaffés parce que la vidéocassette était drôle sans vouloir l'être. Moi aussi, j'ai ri. Et regardez ce qui s'est passé. L'émission disait qu'un ami ou quelqu'un de très proche comme un oncle pouvait aller trop loin. Mais jamais il n'était mentionné qu'il pouvait aussi s'agir d'un père. Dans mes rêves, j'entends encore la chanson et c'est maintenant vrai que mon corps m'appartient et que plus personne ne va le contrôler. Je décide de ce qui va m'arriver.

CONCLUSION

Anne Marie

Ma vie est normale maintenant, malgré des petites rechutes occasionnelles que provoquent des souvenirs douloureux.

J'ai un fils qui a d'extraordinaires cousins pour jouer avec lui. J'essaie d'être le plus forte possible pour lui parce qu'il a besoin de moi et que je ne peux pas le laisser tomber. J'ai essayé plusieurs méthodes pour me garder saine d'esprit, comme les antidépresseurs. J'ai réalisé que la voie de la guérison n'était pas qu'une question de dosage de médicaments. C'est aussi être fort d'esprit, c'est le plus important. Être également forte dans son cœur et trouver le courage de vivre et d'être heureuse, ne serait-ce que pour mon fils et mon mari qui, je le sais, m'adore.

Je ne mentirai pas : mes relations avec les hommes ne sont pas faciles et elles ne le seront jamais. C'est quelque chose que j'essaie de régler. Je suis jeune et j'ai le temps. Dieu est bon et un jour j'y arriverai. C'est en vieillissant qu'on apprend et je n'ai pas peur de tomber parce que je sais que je vais me relever.

Jeannie

Je me suis mariée à dix-huit ans, le 16 mai 2001, à l'homme de mes rêves. Le prince de Cendrillon est venu et l'a éloignée du diable, il l'a emmenée loin, loin, loin au pays du bon. J'ai donné naissance à mon premier fils le 18 mars 2002 et nous

147

l'avons appelé Frederick John. Mon second enfant, alors que nous nous attendions à une fille, est un garçon que nous avons nommé Mackenzie Jack. Il est né le 2 décembre 2003. Ensemble, nous passons notre temps à rire, à danser, à taper des mains… et à s'aimer. Nous nous considérons comme chanceux de pouvoir vivre ensemble heureux, en menant la vie que nous voulons. J'aimerais que toutes les familles soient heureuses comme nous le sommes. J'aimerais que tous les enfants soient aimés comme j'aime les miens. Nous ne savons jamais ce qui va se passer demain dans ce monde dur et cruel. Les gens disent que les Hilton sont un «clan», mais ils se trompent. Un clan, c'est un regroupement de gens qui se tiennent serrés, avec des liens familiaux ou non. Chacun prend soin des autres, les aime et ne ferait jamais rien pour leur faire du mal. Ma nouvelle famille est un clan.

Quand les choses ne vont pas bien ou que je passe un mauvais moment pour quelque raison que ce soit, je saute dans mon auto et je vais retrouver ma sœur et ma mère. Nous serons toujours un trio tricoté serré, lié par le sang.

Présentement, je termine un diplôme supérieur en science afin de devenir infirmière. Je voudrais peut-être devenir médecin un jour et jouer à la *cutman* pendant un combat de boxe ou au médecin qui décide si on doit poursuivre le combat après qu'un des batailleurs s'est blessé. La boxe sera toujours en moi.

Tout comme la douleur. Quand je me sens blessée et que je m'apitoie sur mon sort, je pense à tous les autres problèmes qu'il y a dans le monde et je compare. Les miens sont si petits, je réalise que je suis chanceuse d'être toujours là. J'ai beaucoup de sagesse et de cœur à partager, avec plein de gens. Nous devons toujours essayer de nous améliorer pour le mieux. J'ai traversé beaucoup d'épreuves avant d'arriver où je suis et cela n'a pas été facile. Ma sœur et moi sommes des survivantes parmi tant d'autres.

La chose qui m'inquiète ces temps-ci, c'est que *Le Cœur au beurre noir* n'est pas le premier livre qui traite des abus que subissent certains enfants. Cela arrive tous les jours, tout le temps. On force quelqu'un, quelque part, en ce moment, à faire des choses qu'il ne veut pas faire et qu'il ne doit pas faire. Être traité de cette manière, c'est inacceptable, c'est tolérance zéro parce que c'est tout simplement mal !

On ne peut pas laisser les choses aller et s'attendre à ce que le système de justice apporte des améliorations. Il n'y a pas de magie ; quand on se retrouve en cour face à son agresseur, il est trop tard, des torts irréparables ont été causés. L'éducation commence à la maison et, en tant que parents, nous devons agir comme des professeurs responsables.

Il y a tant de possibilités qui s'offrent à nous, les femmes. Ne faisons pas les mêmes erreurs que nos mères ; nous devons apprendre de leurs faux pas.

TABLE DES MATIÈRES